doze contos peregrinos

Obras do autor

O amor nos tempos do cólera
A aventura de Miguel Littín clandestino no Chile
Cem anos de solidão
Cheiro de goiaba
Crônica de uma morte anunciada
Do amor e outros demônios
Doze contos peregrinos
Em agosto nos vemos
Os funerais da Mamãe Grande
O general em seu labirinto
A incrível e triste história da cândida Erêndira e sua avó desalmada
Memória de minhas putas tristes
Ninguém escreve ao coronel
Notícia de um sequestro
Olhos de cão azul
O outono do patriarca
Relato de um náufrago
A revoada (O enterro do diabo)
O veneno da madrugada (A má hora)
Viver para contar

Obra jornalística

Vol. 1 – Textos caribenhos (1948-1952)
Vol. 2 – Textos andinos (1954-1955)
Vol. 3 – Da Europa e da América (1955-1960)
Vol. 4 – Reportagens políticas (1974-1995)
Vol. 5 – Crônicas (1961-1984)
O escândalo do século

Obra infantojuvenil

A luz é como a água
María dos Prazeres
A sesta da terça-feira
Um senhor muito velho com umas asas enormes
O verão feliz da senhorita Forbes
Maria dos Prazeres e outros contos (com Carme Solé Vendrell)

Antologia

A caminho de Macondo

Teatro

Diatribe de amor contra um homem sentado

Com Mario Vargas Llosa

Duas solidões: um diálogo sobre o romance na América Latina

GABRIEL GARCÍA MÁRQUEZ

doze contos peregrinos

TRADUÇÃO DE
ERIC NEPOMUCENO

40ª edição

EDITORA RECORD
RIO DE JANEIRO • SÃO PAULO
2025

CIP-BRASIL. CATALOGAÇÃO NA FONTE
SINDICATO NACIONAL DOS EDITORES DE LIVROS, RJ.

García Márquez, Gabriel, 1927-2014
G211d Doze contos peregrinos / Gabriel García Márquez; tradução
40ª ed. de Eric Nepomuceno. – 40ª ed. – Rio de Janeiro: Record, 2025.

Tradução de: Doce cuentos peregrinos
ISBN 978-85-01-04066-4

1. Contos colombianos. I. Nepomuceno, Eric. II. Título.

CDD: 868.993613
92-1124 CDU: 860(861)-3

TÍTULO ORIGINAL ESPANHOL
DOCE CUENTOS PEREGRINOS

Texto revisado segundo o Acordo Ortográfico da Língua Portuguesa de 1990.

Impresso no Brasil

ISBN 978-85-01-04066-4

Sumário

Prólogo

POR QUE DOZE, POR QUE CONTOS E POR QUE PEREGRINOS

Os doze contos deste livro foram escritos no curso dos últimos dezoito anos. Antes de sua forma atual, cinco deles foram crônicas de jornal e roteiros de cinema, e um foi série de televisão. Outro contei, há quinze anos, em uma entrevista gravada, e o amigo a quem contei o transcreveu e publicou, e agora tornei a escrevê-lo a partir dessa versão. Foi uma rara experiência criativa que merece ser explicada, nem que seja para as crianças que querem ser escritores quando forem grandes saberem desde agora como é insaciável e abrasivo o vício de escrever.

A primeira ideia me ocorreu no começo da década de setenta, a propósito de um sonho esclarecedor que tive depois de estar há cinco anos morando em Barcelona. Sonhei que assistia ao meu próprio enterro, a pé, caminhando entre um grupo de amigos vestidos de luto solene, mas num clima de festa. Todos parecíamos felizes por estarmos juntos. E eu mais que ninguém, por aquela grata oportunidade que a morte me dava de estar com meus amigos da América Latina, os mais antigos, os mais queridos, os que eu não via fazia tempo.

Ao final da cerimônia, quando começaram a ir embora, tentei acompanhá-los, mas um deles me fez ver com uma severidade terminante que, para mim, a festa havia acabado. "Você é o único que não pode ir embora", me disse. Só então compreendi que morrer é não estar nunca mais com os amigos.

Não sei por quê, interpretei aquele sonho exemplar como uma tomada de consciência da minha identidade, e pensei que era um bom ponto de partida para escrever sobre as coisas estranhas que acontecem aos latino-americanos na Europa. Foi um achado alentador, pois havia terminado pouco antes *O Outono do Patriarca,* que foi meu trabalho mais árduo e arriscado, e não achava por onde continuar.

Durante uns dois anos anotei os temas que iam me ocorrendo sem decidir o que fazer com eles. Como não tinha em casa um caderno de anotações na noite em que resolvi começar, meus filhos me emprestaram um caderno escolar. Eles mesmos o levavam em suas mochilas de livros em nossas viagens frequentes, com medo de que fosse perdido. Cheguei a ter 64 temas anotados com tantos pormenores que só faltava escrevê-los.

Foi no México, ao meu regresso de Barcelona, em 1974, que ficou claro para mim que aquele livro não deveria ser um romance, como pensei no começo, e sim uma coleção de contos curtos, baseados em fatos jornalísticos mas redimidos de sua condição mortal pelas astúcias da poesia. Até então, havia escrito três livros de contos. No entanto, nenhum dos três fora concebido e resolvido como um todo: cada conto era uma peça autônoma e ocasional. Portanto, a escrita dos 64 podia ser uma aventura fascinante se conseguisse escrever todos com o mesmo traço, e com uma unidade interna de tom e de estilo que os fizesse inseparáveis na memória do leitor.

Escrevi os dois primeiros — "O Rastro do Teu Sangue na Neve" e "O Verão Feliz da Senhora Forbes" — em 1976, e publiquei-os em seguida em suplementos literários de vários países. Não me dei nem um dia de repouso, mas na metade do terceiro conto, que era aliás o dos meus funerais, senti que estava me cansando mais do que se fosse um romance. A mesma coisa me aconteceu com o quarto. Tanto que não tive fôlego para terminá-los. Agora sei por quê: o esforço de escrever um conto curto é tão intenso como o de começar um romance. Pois no primeiro parágrafo de um romance é preciso definir tudo: estrutura, tom, estilo, longitude, e às vezes até o caráter de algum personagem. O resto é o prazer de escrever, o mais íntimo e solitário que se possa imaginar, e se a gente não fica corrigindo o livro pelo resto da vida é porque o mesmo rigor de ferro que faz falta para começá-lo se impõe na hora de terminá-lo. O conto, por sua vez, não tem princípio nem fim: anda ou desanda. E se desanda, a experiência própria e a alheia ensinam que na maioria das vezes é mais saudável começá-lo de novo por outro caminho, ou jogá-lo no lixo. Alguém que não lembro disse isso muito bem com uma frase de consolação: "Um bom escritor é mais apreciado pelo que rasga do que pelo que publica." A verdade é que não rasguei os rascunhos e as anotações, mas fiz algo pior: joguei-os no esquecimento.

Lembro de ter mantido o caderno sobre a minha mesa do México, náufrago numa borrasca de papéis, até 1978. Um dia, procurando outra coisa, percebi que o havia perdido de vista fazia tempo. Não me importei. Mas quando me convenci de que não estava na mesa de verdade sofri um ataque de pânico. Não sobrou na casa um canto sem ter sido revistado a fundo. Removemos os móveis, desmontamos a biblioteca para termos certeza de que não havia caído atrás dos livros, e submetemos os empregados e os amigos a inquisições imperdoáveis. Nem rastro. A única explicação possível — ou plausível? — é que em alguns dos tantos extermínios de papéis que faço com frequência lá se foi o caderno para o lixo.

Minha própria reação me surpreendeu: os temas que havia esquecido durante quase quatro anos se transformaram numa questão de honra. Tratando de recuperá-los a qualquer preço, num trabalho tão árduo como escrevê-los, consegui reconstruir as anotações de trinta. Como o próprio esforço de recordá-los me serviu de purga, fui eliminando sem coração os que me pareceram insalváveis, e sobraram dezoito. Desta vez me animava a determinação de continuar escrevendo-os sem pausa, mas logo percebi que tinha perdido o entusiasmo por eles. No entanto, ao contrário do que sempre havia aconselhado aos escritores novos, não os joguei fora, tornei a arquivá-los. Por via das dúvidas.

Quando comecei *Crônica de uma Morte Anunciada*, em 1979, comprovei que nas pausas entre dois livros perdia o hábito de escrever e cada vez era mais difícil começar de novo. Por isso, entre outubro de 1980 e março de 1984, me impus a tarefa de escrever um texto semanal para jornais de diversos países, como disciplina para manter o braço aquecido. Então pensei que meu conflito com as anotações do caderno continuava sendo um problema de gêneros literários, e que na realidade elas não deveriam ser contos e sim textos jornalísticos. Só que, depois de publicar cinco anotações tomadas do caderno, tornei a mudar de opinião: eram melhores para o cinema. Foi assim que surgiram cinco filmes e uma série de televisão.

O que nunca previ foi que o trabalho de jornal e cinema mudaria certas ideias que tinha sobre os contos, a ponto de que, ao escrevê-los agora em sua forma final, tive que tomar cuidado e pinçar minhas próprias ideias das que me foram dadas pelos diretores durante a escrita dos roteiros. Além disso, a colaboração simultânea com cinco criadores diferentes me sugeriu outro método para escrever os contos: começava um quando tinha tempo livre, o abandonava quando me sentia cansado, ou quando surgia algum projeto imprevisto, e depois começava outro. Em pouco mais de um ano, seis dos dezoito temas foram parar no cesto de papéis, e entre eles o de meu funeral, pois nunca consegui que fosse uma farra como a do sonho. Os contos restantes, porém, pareceram tomar fôlego para uma longa vida.

São eles os doze deste livro. Em setembro passado estavam prontos para imprimir depois de outros dois anos de trabalho intermitente. E assim teriam terminado sua incessante peregrinação de ida e volta ao cesto de lixo, se não fosse a dúvida final que me mordeu à última hora. Já que eu havia descrito de memória e a distância as diferentes cidades da Europa onde os contos acontecem, quis comprovar a fidelidade de minhas recordações quase vinte anos depois, e empreendi uma rápida viagem de reconhecimento a Barcelona, Genebra, Roma e Paris.

Nenhuma delas tinha nada a ver com minhas lembranças. Todas, como toda a Europa atual, estavam rarefeitas por uma inversão assombrosa: as recordações reais me pareciam fantasmas da memória, enquanto as recordações falsas eram tão convincentes que haviam suplantado a realidade. De maneira que me foi impossível distinguir a linha divisória entre a desilusão e a nostalgia. Foi a solução final. Eu enfim havia encontrado o que mais falta me fazia para terminar o livro, e que só o transcurso dos anos podia me dar: uma perspectiva no tempo.

Ao meu regresso daquela viagem arriscada reescrevi todos os contos outra vez, desde o princípio, em oito meses febris nos quais não precisei me perguntar onde terminava a vida e onde começava a imaginação, porque me ajudava a suspeita de que talvez não fosse verdade nada do vivido vinte anos antes na Europa. A escrita tornou-se então fluida, e tanto que às vezes me sentia escrevendo pelo puro prazer de narrar, que é talvez o estado humano que mais se parece à levitação. Além disso, trabalhando todos os contos ao mesmo tempo e saltando de um a outro com plena liberdade, consegui uma visão panorâmica que me salvou do cansaço dos começos sucessivos, e me ajudou a caçar redundâncias ocasionais e contradições mortais. Creio haver conseguido assim o livro de contos mais próximo ao que sempre quis escrever.

Aqui estão, prontos para ser levados à mesa depois de tanto andar de déu em déu lutando para sobreviver às perversidades da incerteza. Todos os contos, exceto os dois primeiros, foram terminados ao mesmo tempo, e cada um tem a data em que o comecei. A ordem em que estão nesta edição é a que tinham no caderno de notas.

Sempre acreditei que toda versão de um conto é melhor que a anterior. Como saber então qual deve ser a última? É um segredo do ofício que não obedece às leis da inteligência mas à magia dos instintos, como a cozinheira que sabe quando a sopa está no ponto.

Seja como for, por via das dúvidas, não tornarei a lê-los, como nunca tornei a ler nenhum de meus livros com medo de me arrepender. Quem os ler saberá o que fazer com eles. Por sorte, para estes doze contos peregrinos terminarem no cesto de papéis deve ser como o alívio de voltar para casa.

Cartagena de Índias, abril, 1992

Gabriel García Márquez

BOA VIAGEM,
SENHOR PRESIDENTE

Estava sentado no banco de madeira debaixo das folhas amarelas do parque solitário, contemplando os cisnes empoeirados com as mãos apoiadas no pomo de prata da bengala, e pensando na morte. Quando veio a Genebra pela primeira vez o lago era sereno e diáfano, e havia gaivotas mansas que se aproximavam para comer nas mãos, e mulheres de aluguel que pareciam fantasmas das seis da tarde, com véus de organdi e sombrinhas de seda. Agora a única mulher possível, até onde a vista alcançava, era uma vendedora de flores no embarcadouro deserto. Ele custava a crer que o tempo pudesse ter feito semelhantes estragos não apenas em sua vida, mas no mundo.

Era um desconhecido a mais na cidade de desconhecidos ilustres. Estava de terno azul-escuro com listras brancas, colete de brocado e o chapéu duro dos magistrados aposentados. Tinha um bigode altivo de mosqueteiro, o cabelo azulado e abundante com ondulações românticas, as mãos de harpista com a aliança de viúvo no anular esquerdo, os olhos alegres. A única coisa que delatava o estado de sua saúde era o cansaço da pele. E ainda assim, aos 73 anos, continuava sendo de uma elegância clássica. Naquela manhã, no entanto, sentia-se a salvo de toda vaidade. Os anos de glória e poder haviam ficado para trás sem remédio, e agora só permaneciam os da morte.

Havia voltado a Genebra depois de duas guerras mundiais, em busca de uma resposta terminante para uma dor que os médicos da Martinica não conseguiram identificar. Havia previsto não mais do que quinze dias, mas já haviam-se passado seis semanas de exames extenuantes e resultados incertos, e ainda não se vislumbrava o final. Buscavam a dor no fígado, nos rins, no pâncreas, na próstata, onde menos estava. Isso, até aquela quinta-feira indesejável, na qual o médico menos notório dos muitos que o haviam visto chamou-o às nove da manhã no pavilhão de neurologia.

O consultório parecia uma cela de monges, e o médico era pequeno e lúgubre, e tinha a mão direita engessada por causa de uma fratura no polegar. Quando apagou a luz, apareceu na tela a radiografia iluminada de uma espinha dorsal que ele não reconheceu como sua até que o médico apontou com uma varinha, debaixo de sua cintura, a união de duas vértebras.

— Sua dor está aqui — disse a ele.

Para ele, não era tão fácil. Sua dor era improvável e escorregadia, e às vezes parecia estar nas costelas direitas e às vezes no baixo-ventre, e muitas vezes o surpreendia com uma agulhada instantânea na virilha. O médico escutou-o em suspenso e com a varinha imóvel na tela. "Por isso nos despistou durante tanto tempo", disse. "Mas agora sabemos que está aqui." Depois colocou o indicador na fronte e foi categórico:

— Embora, a rigor, senhor presidente, sua dor esteja aqui.

Seu estilo clínico era tão dramático que a sentença final pareceu benévola: o presidente tinha que se submeter a uma operação arriscada e inevitável. Perguntou qual era a margem de risco, e o velho doutor envolveu-o numa luz de incerteza.

— Não podemos dizer com segurança — disse.

Até pouco tempo atrás, explicou, os riscos de acidentes fatais eram grandes, e mais ainda os de diferentes paralisias em diversos graus. Mas com os avanços médicos das duas guerras esses temores eram coisas do passado.

— Vá tranquilo — concluiu. — Prepare bem suas coisas e nos avise. Mas não se esqueça que quanto antes, melhor.

Não era uma boa manhã para digerir essa má notícia, e menos ainda a intempérie. Havia saído muito cedo do hotel, sem abrigo, porque viu um sol radiante pela janela, e havia ido com seus passos contados do Chemin du Beau Soleil, onde estava o hospital, até o refúgio dos namorados furtivos do parque Inglês. Estava ali fazia mais de uma hora, sempre pensando na morte, quando começou o outono. O lago encrespou-se como um oceano embravecido, e um vento de desordem espantou as gaivotas e arrasou com as últimas folhas. O presidente se levantou e, em vez de comprar da florista, arrancou uma margarida dos canteiros públicos e colocou-a na lapela. A florista o surpreendeu.

— Estas flores não são de Deus, senhor — disse, contrariada. — São da prefeitura.

Ele não deu atenção. Afastou-se com passos ligeiros, empunhando a bengala pelo meio, e fazendo-a girar de vez em quando, com um ar um tanto libertino. Na ponte do Mont Blanc estavam, a toda pressa, tirando as bandeiras da Confederação enlouquecidas pela ventania, e o esbelto chafariz coberto de espuma apagou-se antes do tempo. O presidente não reconheceu sua cafeteria de sempre sobre o embarcadouro, porque haviam retirado o toldo verde do terraço e as varandas floridas do verão acabavam de ser fechadas. No salão, os lustres estavam acesos em pleno dia, e o quarteto de cordas tocava um Mozart premonitório. O presidente apanhou no balcão um jornal da pilha reservada aos clientes, pendurou o chapéu e a bengala no cabide, pôs os óculos com armação de ouro para ler na mesa mais afastada, e só então tomou consciência de que havia chegado o outono. Começou a ler pela página internacional, onde encontrava muito de vez em quando alguma notícia das Américas, e continuou lendo de trás para diante até que a garçonete levou sua garrafa diária de água de Evian. Há mais de trinta anos havia renunciado ao hábito do café por imposição de seus médicos. Mas dissera: "Se alguma vez tiver a certeza de que vou morrer, tornarei a tomar café." Talvez a hora tivesse chegado.

— Traga também um café — pediu num francês perfeito. E explicou, sem reparar no duplo sentido: — À italiana, desses que levantam um morto.

Tomou-o sem açúcar, devagar, e depois colocou a xícara de boca para baixo, para que o sedimento do café, após tantos anos, tivesse tempo de escrever seu destino. O sabor recuperado redimiu-o por um instante de seu mau pensamento. Um instante depois, como parte do mesmo sortilégio, sentiu que alguém olhava para ele. Então passou as páginas com um gesto casual, olhou por cima dos óculos, e viu o homem pálido e com a barba por fazer, com um boné esportivo e uma jaqueta de couro com forro de ovelha, que afastou o olhar no mesmo instante para não tropeçar com o dele.

Sua cara era familiar. Haviam se cruzado várias vezes no vestíbulo do hospital, havia tornado a vê-lo num dia qualquer numa motoneta pela Promenade du Lac enquanto contemplava os cisnes, mas nunca se sentiu reconhecido. Não descartou, em todo caso, a possibilidade de ser outra das tantas fantasias persecutórias do exílio.

Terminou o jornal sem pressa, flutuando nos *cellos* suntuosos de Brahms, até que a dor foi mais forte que a analgia da música. Então olhou o reloginho de ouro que usava pendurado numa corrente no bolso do colete, e tomou as duas pílulas calmantes do meio-dia com o último gole da água de Evian. Antes de tirar os óculos decifrou seu destino no assentamento do café, e sentiu um estremecimento glacial: ali estava a incerteza. Finalmente pagou a conta com uma gorjeta estreita, apanhou o chapéu e a bengala no cabide, e saiu para a rua sem olhar o homem que olhava para ele. Afastou-se com seu andar festivo, beirando os canteiros de flores despedaçadas pelo vento, e acreditou-se liberado do feitiço. Mas de repente sentiu passos atrás dos seus, deteve-se ao dobrar uma esquina e deu meia-volta. O homem que o seguia teve que parar em seco para não tropeçar com ele, e olhou-o assustado, a menos de dois palmos de seus olhos.

— Senhor presidente — murmurou.

— Diga a quem estiver pagando a você que não tenha ilusões — disse o presidente, sem perder o sorriso ou o encanto da voz. — Minha saúde está perfeita.

— Ninguém melhor que eu para saber disso — disse o homem, humilhado pela carga de dignidade que lhe caiu em cima. — Trabalho no hospital.

A dicção e a cadência, e ainda sua timidez, eram as de um caribenho puro.

— Não me diga que é médico — disse o presidente.

— Quem me dera, senhor — disse o homem. — Sou chofer de ambulância.

— Sinto muito — disse o presidente, convencido de seu erro. — É um trabalho duro.

— Não tanto como o seu, senhor.

Ele olhou-o sem reservas, apoiou-se na bengala com as duas mãos, e perguntou-lhe com um interesse real:

— De onde o senhor é?

— Do Caribe.

— Já percebi — disse o presidente. — Mas de que país?

— Do mesmo que o senhor, presidente — disse o homem, e estendeu-lhe a mão. — Meu nome é Homero Rey.

O presidente interrompeu-o surpreso, sem soltar a sua mão.

— Caramba! — disse. — Que bom nome!

Homero relaxou.

— E tem mais — disse. — Homero Rey de la Casa.

Uma punhalada invernal surpreendeu-os indefesos na metade da rua. O presidente estremeceu até os ossos e compreendeu que não poderia caminhar sem abrigo os dois quarteirões que faltavam até a pensão de pobres onde costumava comer.

— Já almoçou? — perguntou a Homero.

— Não almoço nunca — disse Homero. — Como uma vez só de noite, na minha casa.

— Faça uma exceção hoje — disse com todos os seus encantos à flor da pele. — Eu convido.

Pegou-o pelo braço e levou-o até o restaurante em frente, com o nome dourado no toldo: *Le Boeuf Couronné*. O interior era estreito e cálido, e não parecia haver nenhum lugar livre. Homero Rey, surpreso por ninguém conhecer o presidente, continuou até o fundo do salão para pedir ajuda.

— É presidente em exercício? — perguntou o dono.

— Não — disse Homero. — Derrubado.

O dono soltou um sorriso de aprovação.

— Para esses — disse — tenho sempre uma mesa especial.

Levou-os a um lugar afastado no fundo do salão, onde podiam falar à vontade. O presidente agradeceu.

— Nem todos reconhecem como o senhor a dignidade do exílio — disse.

A especialidade da casa eram costelas de boi na brasa. O presidente e seu convidado olharam em volta, e viram nas outras mesas os grandes pedaços assados com uma beirada de gordura tenra. "É uma carne magnífica", murmurou o presidente. "Mas para mim é proibida." Fixou em Homero um olhar travesso e mudou de tom.

— Na verdade, me proibiram tudo.

— O café também — disse Homero —, e mesmo assim tomou.

— Você notou? — disse o presidente. — Mas hoje foi só uma exceção num dia excepcional.

A exceção daquele dia não foi só o café. Também encomendou uma costela de boi na brasa e uma salada de legumes frescos sem outro tempero além de um jorro de azeite de oliva. Seu convidado pediu a mesma coisa, mais meia garrafa de vinho tinto.

Enquanto esperavam a carne, Homero tirou do bolso da jaqueta uma carteira sem dinheiro e com muitos papéis, e mostrou ao presidente uma foto desbotada. Ele se reconheceu em mangas de camisa, com vários quilos a menos e o cabelo e o bigode de um negro intenso, no meio de um tumulto de jovens que haviam se empinado para sobressair. De um só olhar reconheceu o lugar, reconheceu os emblemas de uma campanha eleitoral maçante, reconheceu a data ingrata. "Que barbaridade!", murmurou. "Sempre disse que a gente envelhece mais rápido nos retratos que na vida real." E devolveu a foto com um gesto de último ato.

— Lembro-me muito bem — disse. — Foi há milhares de anos na arena de galos de briga de San Cristóbal de las Casas.

— É a minha cidade — disse Homero, e apontou a si mesmo no grupo: — Este sou eu.

O presidente reconheceu-o.

— Você era uma criança!

— Quase — disse Homero. — Estive com o senhor em toda a campanha do sul como dirigente das brigadas universitárias.

O presidente antecipou-se à recriminação.

— Eu, é claro, nem ao menos reparava no senhor — disse.

— Ao contrário, era muito gentil conosco — disse Homero. — Mas éramos tantos que não é possível que o senhor se lembre.

— E depois?

— Quem melhor que o senhor para saber? — disse Homero. — Depois do golpe militar, o milagre é estarmos nós dois aqui, prontos para comer meio boi. Não foram muitos os que tiveram a mesma sorte.

Nesse momento chegaram os pratos. O presidente pôs o guardanapo no pescoço, como um babador de criança, e não foi insensível à calada surpresa do convidado. "Se não fizer isto perco uma gravata por refeição", disse. Antes de começar provou o ponto da carne, aprovou-o com um gesto satisfeito, e voltou ao tema.

— O que não entendo — disse — é por que não me procurou antes de maneira aberta, em vez de me seguir feito um sabujo.

Então Homero contou-lhe que o havia reconhecido desde que o viu entrar no hospital por uma porta reservada para casos muito especiais. Era pleno verão, e ele estava com um terno completo de linho branco das Antilhas, com sapatos combinados em branco e negro, a margarida na lapela, e a formosa cabeleira alvoroçada pelo vento. Homero verificou que ele estava sozinho em

Genebra, sem a ajuda de ninguém, pois conhecia de cor a cidade onde havia terminado seus estudos de Direito. A direção do hospital, por solicitação sua, tomou as determinações internas para assegurar o sigilo absoluto. Naquela mesma noite, Homero combinou com sua mulher fazer contato com ele. No entanto, o havia seguido por cinco semanas buscando uma ocasião propícia, e talvez não tivesse sido capaz de cumprimentá-lo se ele não o tivesse enfrentado.

— Fico feliz de ter feito isso — disse o presidente —, embora na verdade não me incomode nem um pouco estar sozinho.

— Não é justo.

— Por quê? — perguntou-lhe o presidente com sinceridade. — A maior vitória da minha vida foi conseguir que me esqueçam.

— Nós lembramos do senhor mais do que o senhor imagina — disse Homero sem dissimular sua emoção. — É uma alegria vê-lo assim, saudável e jovem.

— No entanto — disse ele sem dramatismo —, tudo indica que morrerei em pouco tempo.

— Suas possibilidades de se recuperar são muito altas — disse Homero.

O presidente deu um salto de surpresa, mas não perdeu a graça.

— Opa! — exclamou. — Será que na bela Suíça foi abolido o sigilo médico?

— Em nenhum hospital do mundo existem segredos para um chofer de ambulância — disse Homero.

— Pois o que sei fiquei sabendo há apenas duas horas e pela boca do único que deveria estar sabendo.

— Seja como for, o senhor não morrerá em vão — disse Homero. — Alguém irá colocá-lo no lugar que lhe corresponde como grande exemplo de dignidade.

O presidente fingiu um assombro cômico.

— Obrigado por me prevenir — disse.

Comia como fazia tudo: devagar e com um grande esmero. Enquanto isso, olhava para Homero direto nos olhos, de maneira que este tinha a impressão de ver o que ele pensava. Após uma longa conversa de evocações nostálgicas, deu um sorriso maligno.

— Havia decidido não me preocupar com o meu cadáver — disse —, mas agora vejo que devo tomar certas precauções de romance policial para que ninguém o encontre.

— Vai ser inútil — brincou Homero. — No hospital não existem mistérios que durem mais que uma hora.

Quando terminaram o café, o presidente leu o fundo de sua xícara, e tornou a estremecer: a mensagem era a mesma. No entanto, sua expressão não se alterou. Pagou a conta em dinheiro, mas antes verificou a soma várias vezes, contou várias vezes o dinheiro com um cuidado excessivo, e deixou uma gorjeta que só mereceu um resmungo do garçom.

— Foi um prazer — concluiu, ao se despedir de Homero. — Não tenho data para a operação, e nem mesmo decidi se vou ou não me operar. Mas se tudo der certo, tornaremos a nos encontrar.

— E por que não antes? — disse Homero. — Lázara, minha mulher, é cozinheira de ricos. Ninguém prepara o arroz com camarões melhor que ela, e gostaríamos de tê-lo em casa uma noite dessas.

— Fui proibido de comer mariscos, mas vou com muito prazer — disse. — É só dizer quando.

— Quinta-feira é meu dia de folga — disse Homero.

— Perfeito — disse o presidente. — Quinta às sete da noite estou em sua casa. Será um prazer.

— Passarei para buscá-lo — disse Homero. — Hotelerie Dames, 14 rue de l'Industrie. Atrás da estação. Certo?

— Certo — disse o presidente, e levantou-se mais encantador que nunca. — Pelo que estou vendo, sabe até o número do meu sapato.

— Claro, senhor — disse Homero, divertido. — Quarenta e um.

O que Homero Rey não contou ao presidente, mas continuou contando durante anos para quem quisesse ouvir, foi que seu propósito inicial não era tão inocente. Como outros choferes de ambulância, tinha acordos com empresas funerárias e companhias de seguro para vender serviços dentro do próprio hospital, sobretudo a pacientes estrangeiros de escassos recursos. Eram lucros mínimos, e além disso era preciso reparti-los com outros empregados que passavam de mão em mão os relatórios secretos sobre os doentes graves. Mas era um bom consolo para um desterrado sem porvir que subsistia a duras penas com sua mulher e seus dois filhos com um salário ridículo.

Lázara Davis, sua mulher, foi mais realista. Era uma mulata fina de San Juan de Puerto Rico, miúda e maciça, da cor do caramelo em repouso e com uns olhos de cadela brava que combinavam muito bem com sua maneira de ser. Haviam se conhecido nos serviços de caridade do hospital, onde ela trabalhava como ajudante de tudo depois que um agiota de seu país, que a havia levado como babá, deixou-a à deriva em Genebra. Haviam se casado pelo ritual católico, embora ela fosse princesa ioruba, e viviam num sala e dois quartos no oitavo andar sem elevador de um edifício de imigrantes africanos. Tinham uma menina de nove anos, Bárbara, e um menino de sete, Lázaro, com alguns indícios menores de retardamento mental.

Lázara Davis era inteligente e de mau humor, mas de entranhas ternas. Considerava-se a si mesma como uma Touro pura, e tinha uma fé cega em seus augúrios astrais. No entanto, nunca pôde cumprir o sonho de ganhar a vida como astróloga de milionários. Em compensação, contribuía em casa com recursos ocasionais, e às vezes importantes, preparando jantares para senhoras ricas que se exibiam a seus convidados fazendo crer que eram elas as autoras dos excitantes pratos antilhanos. Homero, por sua vez, era tímido de solenidade, e não dava para nada além do pouco que fazia, mas Lázara não concebia a vida sem ele pela inocência de seu coração e o calibre da sua arma. Tinham dado certo, mas os anos vinham cada vez mais duros e as crianças cresciam. Pelos tempos em que o presidente chegou, haviam começado a bicar suas economias de cinco anos. De maneira que quando Homero Rey o descobriu entre os doentes incógnitos do hospital, mergulharam em ilusões.

Não sabiam direito o que iriam pedir, nem com que direito. No primeiro momento haviam pensado em vender-lhe um funeral completo, inclusive a embalsamação e a repatriação. Mas pouco a pouco foram percebendo que a morte não parecia tão iminente quanto a princípio. No dia do almoço já estavam atordoados pelas dúvidas.

Na verdade, Homero não tinha sido dirigente das brigadas universitárias, nem nada parecido, e a única vez em que participou da campanha eleitoral foi quando fizeram a foto que haviam encontrado por milagre no murundu do guarda-roupa. Mas seu fervor era verdadeiro. Era verdade também que precisou fugir do país por sua participação de resistência nas ruas contra o golpe militar, embora a única razão para continuar vivendo em Genebra depois de tantos anos fosse a sua pobreza de espírito. Portanto, uma mentira a mais ou a menos não devia ser um obstáculo para ganhar o favor do presidente.

A primeira surpresa de ambos foi que o desterrado ilustre morasse num hotel de quarta categoria no bairro triste de la Grotte, entre imigrantes asiáticos e mariposas da noite, e que comesse sozinho nas pensões de pobres, quando Genebra estava cheia de residências dignas para políticos em desgraça. Homero o havia visto repetir dia após dia os atos daquele dia. Havia acompanhado-o de vista, e às vezes numa distância menos que prudente, em seus passeios noturnos entre os muros lúgubres e os lampiões amarelos da cidade velha. Havia visto o presidente absorto durante horas diante da estátua de Calvino. Havia subido atrás dele passo a passo a escadaria de pedra, sufocado pelo perfume ardente dos jasmins, para contemplar os lentos entardeceres do verão do alto do Bourg-le-Four. Certa noite, viu-o debaixo da primeira garoa, sem abrigo ou guarda-chuva, fazendo fila com os estudantes para um concerto de Rubinstein. "Não sei como não pegou uma pneumonia", disse depois para a mulher. No sábado anterior, quando o tempo começou a mudar, o havia visto comprando um abrigo de outono com uma gola de falso visom, mas não nas lojas luminosas da rue du Rhône, onde compravam os emires fugitivos, e sim no Mercado de Pulgas.

— Então, não há nada a ser feito! — exclamou Lázara quando Homero contou tudo isso. — É um avarento de merda, capaz de se fazer enterrar pela beneficência na vala comum. Nunca vamos tirar nada dele.

— Vai ver é pobre de verdade — disse Homero —, depois de tantos anos sem emprego.

— Ai, moreno, uma coisa é ser Peixes com ascendente em Peixes e outra coisa é ser idiota — disse Lázara. — Todo mundo sabe que se mandou com o ouro do governo e que é o exilado mais rico da Martinica.

Homero, que era dez anos mais velho, havia crescido impressionado com a notícia de que o presidente estudara em Genebra, trabalhando como pedreiro. Lázara, porém, havia sido criada entre os escândalos da imprensa inimiga, magnificados numa casa de inimigos, onde foi babá desde menina. Portanto, na noite em que Homero chegou sufocado de júbilo porque havia almoçado com o presidente, para ela não foi suficiente o argumento de que havia sido convidado para um restaurante caro. Aborreceu-se com Homero por ele não ter pedido nada do muito que haviam sonhado, de bolsas de estudo para as crianças até um emprego melhor no hospital. Pareceu-lhe uma confirmação de suas suspeitas a decisão de que jogassem o seu cadáver aos urubus em vez de gastar seus francos num enterro digno e numa repatriação gloriosa. Mas a gota que transbordou o copo foi a notícia que Homero reservou para o final, de que havia convidado o presidente para comer arroz de camarões na quinta-feira à noite.

— Só faltava essa — gritou Lázara —, que ele morra aqui, envenenado com camarões de lata, e a gente acabe tendo de enterrá-lo com as economias das crianças.

O que enfim determinou sua conduta foi o peso de sua lealdade conjugal. Teve que pedir emprestados a uma vizinha três jogos de talheres de alpaca e uma saladeira de vidro, e a outra uma cafeteira elétrica, e a outra uma toalha bordada e um jogo chinês para o café. Trocou as cortinas velhas pelas novas, que eles só usavam em dias de festa, e tirou o forro dos móveis. Passou um dia inteiro esfregando o chão, sacudindo o pó, mudando coisas de lugar, até que conseguiu o contrário do que para eles teria sido mais conveniente, que era comover o convidado com o decoro de sua pobreza.

Na quinta-feira à noite, depois que se refez do sufoco dos oitos andares, o presidente apareceu na porta com o novo abrigo velho e o chapéu melão de outro tempo, e com uma única rosa para Lázara. Ela se impressionou com sua formosura viril e suas maneiras de príncipe, mas acima de tudo viu-o como esperava: falso e rapinante. Pareceu-lhe impertinente, porque ela havia cozinhado com todas as janelas abertas para evitar que o vapor dos camarões impregnasse a casa, e a primeira coisa que ele fez ao entrar foi respirar fundo, como num êxtase súbito, e exclamar com os olhos fechados e os braços abertos: "Ah, o cheiro do nosso mar!" Pareceu-lhe mais avarento que nunca por levar uma única rosa, sem dúvida roubada nos jardins públicos. Pareceu-lhe insolente, pelo desdém com que olhou os recortes de jornais sobre suas glórias presidenciais, e os galhardetes e bandeirolas da campanha, que Homero havia pregado com tanto candor na parede da sala. Achou-o duro de coração, porque nem cumprimentou Bárbara e Lázaro, que tinham feito um presente para ele, e durante o jantar mencionou duas coisas que não conseguia suportar: os cães e as crianças. No entanto, seu sentido caribenho da hospitalidade se impôs sobre seus preconceitos. Havia vestido a túnica africana de suas noites de festa e seus colares e pulseiras de candomblé, e não fez durante o jantar um único gesto nem disse uma palavra de sobra. Foi mais que impecável: perfeita.

Na verdade o arroz de camarões não estava entre as virtudes da sua cozinha, mas foi feito com os melhores desejos, e saiu muito bom. O presidente serviu-se duas vezes sem medir elogios, e encantou-se com as fatias fritas de banana madura e a salada de abacate, embora não tenha compartilhado as nostalgias. Lázara conformou-se com escutar até a sobremesa, quando Homero encalhou sem nenhum motivo no beco sem saída da existência de Deus.

— Eu sim, acredito que existe — disse o presidente —, mas não tem nada a ver com os seres humanos. Cuida de coisas muito maiores.

— Eu só acredito nos astros — disse Lázara, e sondou a reação do presidente. — Que dia o senhor nasceu?

— Onze de março.

— Tinha que ser — disse Lázara, com um sobressalto triunfal, e perguntou com bons modos: — Não é demais dois Peixes numa mesma mesa?

Os homens continuavam falando de Deus quando ela foi para a cozinha preparar o café. Havia recolhido os pratos e travessas e ansiava no fundo da alma que a noite acabasse bem. De regresso à sala com o café, deu de encontro com uma frase solta pelo presidente e que a deixou atônita:

— Não tenha dúvida, meu querido amigo: a pior coisa que aconteceu a nosso pobre país é que eu tenha sido presidente.

Homero viu Lázara na porta com as xícaras chinesas e a cafeteira emprestada, e achou que ela ia desmaiar. Também o presidente reparou nela. "Não me olhe assim, senhora", disse de modo afável. "Estou falando com o coração." E depois, voltando-se para Homero, terminou:

— Pelo menos estou pagando caro pela minha insensatez.

Lázara serviu o café, apagou o lustre que estava bem em cima da mesa e cuja luz inclemente estorvava a conversa, e a sala ficou numa penumbra íntima. Pela primeira vez se interessou pelo convidado, cuja graça não conseguia dissimular sua tristeza. A curiosidade de Lázara aumentou quando ele terminou o café e virou a xícara de boca para baixo para que a borra repousasse.

O presidente contou a eles, depois da sobremesa, que havia escolhido a ilha de Martinica para seu desterro, pela amizade com o poeta Aimé Césaire, que naquela época acabava de publicar seu *Cahier d'un retour au pays natal,* e prestou-lhe ajuda para começar uma nova vida. Com o que lhes restava da herança da esposa compraram uma casa de madeiras nobres nas colinas de Fort de France, com telas de arame nas janelas e uma varanda de mar cheia de flores primitivas, onde era um gozo dormir com o alvoroço dos grilos e a brisa de melado e rum de cana dos trapiches. Ficou ali com a esposa, catorze anos mais velha que ele e doente desde seu parto único, entrincheirado contra o destino na releitura viciosa de seus clássicos latinos, em latim, e com a convicção de que aquele era o ato final de sua vida. Durante anos precisou resistir às tentações de todo tipo de aventura que seus partidários derrotados lhe propunham.

— Mas nunca tornei a abrir uma carta — disse. — Nunca, desde que descobri que até as mais urgentes eram menos urgentes uma semana depois, e que dois meses depois não se lembrava delas nem mesmo quem as havia escrito.

Olhou para Lázara à meia-luz quando ela acendeu um cigarro, e tirou-o da mulher com um movimento ávido dos dedos. Deu uma tragada profunda, e reteve a fumaça na garganta. Lázara, surpreendida, apanhou o maço e os fósforos para acender outro, mas ele devolveu-lhe o cigarro aceso. "A senhora fuma com tanto gosto que não pude resistir à tentação", disse ele. Mas teve que soltar a fumaça porque sofreu um princípio de tosse.

— Abandonei o vício há muitos anos, mas ele não me abandonou — disse. — Algumas vezes, consegue me vencer. Como agora.

A tosse deu-lhe duas outras sacudidas. A dor voltou. O presidente olhou as horas no reloginho de bolso, e tomou as duas pílulas da noite. Depois, sondou o fundo da xícara: nada havia mudado, mas daquela vez não estremeceu.

— Alguns de meus antigos partidários foram presidentes depois de mim — disse.

— Sáyago — disse Homero.

— Sáyago e outros — disse ele. — Todos como eu: usurpando uma honra que não merecíamos com um ofício que não sabíamos fazer. Alguns perseguem só o poder, mas a maioria busca ainda menos que isso: o emprego.

Lázara se encrespou.

— O senhor sabe o que dizem do senhor? — perguntou.

Homero, alarmado, interveio:

— Tudo mentira.

— Tem mentira e não tem — disse o presidente com uma calma celestial. — Tratando-se de um presidente, as piores ignomínias podem ser as duas coisas ao mesmo tempo: verdade e mentira.

Havia vivido na Martinica todos os dias do exílio, sem outro contato com o exterior que as poucas notícias do jornal oficial, sustentando-se com as aulas de espanhol e latim num liceu oficial e com as traduções que às vezes Aimé Césaire encomendava. O calor era insuportável em agosto, e ele ficava na rede até o meio-dia, lendo ao arrulho do ventilador no teto do dormitório. Sua mulher cuidava dos pássaros que criava soltos, mesmo nas horas de mais calor, protegendo-se do sol com um chapéu de palha de abas grandes, adornado de morangos artificiais e flores de organdi. Mas quando o calor diminuía era bom tomar a fresca na varanda, ele com a vista fixa no mar até que chegavam as trevas, e ela em sua cadeira de balanço de vime, com o chapéu de aba quebrada e as bijuterias em todos os dedos, vendo passar os navios do mundo. "Esse vai para Puerto Santo", dizia ela. "Esse quase nem pode andar com a carga de banana-ouro de Puerto Santo" , dizia. Pois achava impossível que passasse um barco que não fosse de sua terra. Ele bancava o surdo, embora no fim ela tenha conseguido esquecer melhor que ele, porque ficou sem memória. Permaneciam assim até que terminavam os crepúsculos fragorosos, e tinham que se refugiar na casa derrotados pelos mosquitos. Num daqueles tantos agostos, enquanto lia o jornal na varanda, o presidente deu um salto de assombro.

— Porra! — disse. — Morri no Estoril!

Sua esposa, levitando no torpor, espantou-se com a notícia. Eram seis linhas na quinta página do jornal que era impresso na virada da esquina, onde publicavam suas traduções ocasionais, e cujo diretor passava para visitá-lo de vez em quando. E agora dizia que tinha morrido no Estoril de Lisboa, balneário e abrigo da decadência europeia, onde nunca havia estado, e talvez o único lugar do mundo onde não teria querido morrer. A esposa morreu de verdade um ano depois, atormentada pela última lembrança que lhe restava para aquele instante: a do filho único, que havia participado na derrubada do pai, e foi fuzilado mais tarde por seus próprios cúmplices.

O presidente suspirou. "Somos assim, e nada poderá redimir-nos", disse. "Um continente concebido pela merda do mundo inteiro sem um instante de amor: filhos de raptos, violações, de tratos infames, de enganos, de inimigos com inimigos." Enfrentou os olhos africanos de Lázara, que o examinavam sem piedade, e tentou amansá-la com sua lábia de velho professor.

— A palavra mestiçagem significa misturar as lágrimas com o sangue que corre. O que se pode esperar de semelhante beberagem?

Lázara cravou-o em seu lugar com um silêncio de morte. Mas conseguiu superar-se, pouco antes da meia-noite, e despediu-se dele com um beijo formal. O presidente se opôs a que Homero o acompanhasse ao hotel, mas não pôde impedir que o ajudasse a conseguir um táxi. De volta para casa, Homero encontrou a mulher desfeita em fúria.

— Esse é o presidente mais bem derrubado do mundo — disse ela. — Um tremendo filho da puta.

Apesar dos esforços que Homero fez para tranquilizá-la, passaram em claro uma noite terrível. Lázara reconhecia que era um dos homens mais belos que havia visto, com um poder de sedução devastador e uma virilidade de reprodutor. "Do jeito que está, velho e fodido, ainda deve ser um tigre na cama", disse. Mas achava que havia desperdiçado esses dons de Deus a serviço do fingimento. Não podia suportar seus alardes por ter sido o pior presidente de seu país. Nem seu jeito de asceta, pois estava convencida de que era dono de metade das usinas de açúcar da Martinica. Nem a hipocrisia de seu desdém pelo poder, se era evidente que daria tudo para voltar nem que fosse por um minuto à presidência para mandar seus inimigos comer pó.

— E tudo isso — concluiu — só para nos ter rendidos aos seus pés.

— O que ele pode ganhar com isso? — perguntou Homero.

— Nada — disse ela. — Acontece que a vaidade é um vício que não se sacia com nada.

Era tanta a sua fúria que Homero não conseguiu aguentá-la na cama, e foi terminar a noite enrolado num cobertor no divã da sala. Lázara levantou-se também de madrugada, nua de corpo inteiro, como costumava dormir e ficar em casa, e falando sozinha num monólogo de uma corda só. Num instante apagou da memória da humanidade qualquer rastro do jantar indesejável. Devolveu ao amanhecer as coisas emprestadas, mudou as cortinas novas pelas velhas e pôs os móveis em seu lugar, até que a casa voltou a ser tão pobre e decente como havia sido até a noite anterior. Finalmente arrancou os recortes de jornal, os retratos, as bandeirolas e galhardetes da campanha abominável, e jogou tudo na lata de lixo com um grito final.

— Vai pro caralho!

Uma semana depois do jantar, Homero encontrou o presidente esperando por ele na saída do hospital, com a súplica de que o acompanhasse até seu hotel. Subiram os três andares empinados até uma água-furtada com uma única claraboia que dava para um céu de cinzas, e atravessada por uma corda com roupa para secar. Havia além disso uma cama de casal que ocupava a metade do espaço, uma cadeira simples, uma bacia e um bidê portátil, e um guarda-roupa de pobre com um espelho nublado. O presidente reparou na impressão de Homero.

— É o mesmo cubículo onde vivi meus anos de estudante — disse, como que se desculpando. — Reservei-o de Fort de France.

Tirou de um pequeno saco de veludo e espalhou sobre a cama o saldo final de seus recursos: várias pulseiras de ouro com diferentes adornos de pedras preciosas, um colar de pérolas de três voltas e outros dois de ouro e pedras preciosas; três correntes de ouro com medalhas de santos e um par de brincos de ouro com esmeraldas, outro com diamantes e outro com rubis; três relicários, onze anéis com todo tipo de pedras preciosas e um diadema de brilhantes que podia ter sido de uma rainha. Depois tirou de um estojo diferente três pares de abotoaduras de prata e duas de ouro com seus correspondentes prendedores de gravata, e um relógio de bolso folheado em ouro branco. Finalmente tirou de uma caixa de sapatos suas seis condecorações: duas de ouro, uma de prata, e o resto de pura sucata.

— É tudo o que me resta na vida — disse.

Não tinha outra alternativa a não ser vender tudo para completar os gastos médicos, e desejava que Homero fizesse o favor com o maior sigilo. No entanto, Homero não se sentiu capaz de ajudá-lo se não tivesse as notas fiscais em regra.

O presidente lhe explicou que eram prendas de sua esposa herdadas de uma avó colonial que por sua vez havia herdado um pacote de ações de minas de ouro da Colômbia. O relógio, as abotoaduras e os prendedores de gravata eram dele. As condecorações, claro, não tinham sido de ninguém antes.

— Não acredito que alguém tenha notas fiscais de coisas como essas — disse.

Homero foi inflexível.

— Nesse caso — refletiu o presidente —, não tenho outro remédio a não ser mostrar minha cara.

Começou a recolher as joias com uma calma calculada. "Peço que me perdoe, meu querido Homero, mas é que não há pior pobreza que a de um presidente pobre", disse. "Até sobreviver parece indigno." Nesse instante, Homero viu-o com o coração, e se rendeu.

Naquela noite, Lázara voltou tarde para casa. Da porta viu as joias radiantes debaixo da luz de mercúrio da sala, e foi como se tivesse visto um escorpião em sua cama.

— Não seja imbecil, moreno — disse assustada. — O que estas coisas estão fazendo aqui?

A explicação de Homero deixou-a ainda mais inquieta. Sentou-se para examinar as joias, uma por uma, com uma meticulosidade de ourives. Num certo momento suspirou: "Deve valer uma fortuna." No final, ficou olhando Homero sem encontrar uma saída para seu ofuscamento.

— Caralho — disse. — Como é que a gente faz para saber se o que esse homem falou é verdade?

— E por que não? — disse Homero. — Acabo de ver que ele mesmo lava sua roupa, e a seca no quarto igualzinho a nós, pendurada num arame.

— Porque é avarento — disse Lázara.

— Ou porque é pobre — disse Homero.

Lázara tornou a examinar as joias, mas agora com menos atenção, porque ela também estava vencida. Assim, na manhã seguinte vestiu-se com o que tinha de melhor, enfeitou-se com as joias que lhe pareceram as mais caras, pôs quantos anéis pôde em cada dedo, até no polegar, e quantas pulseiras conseguiu em cada braço, e foi vendê-las. "Vamos ver quem pede nota fiscal a Lázara Davis", disse ao sair, empavonando-se de riso. Escolheu a joalheria exata, com mais ares de prestígio, onde sabia que vendia-se e comprava-se sem muitas perguntas, e entrou apavorada mas pisando firme.

Um vendedor vestido a rigor, enxuto e pálido, fez para ela uma vênia teatral ao beijar sua mão, e colocou-se às suas ordens. O interior era mais claro que o dia, pelos espelhos e as luzes intensas, e a loja inteira parecia um diamante. Lázara, olhando pouco para o funcionário com temor que ele percebesse a farsa, continuou até o fundo.

O funcionário convidou-a a sentar-se diante de uma das três escrivaninhas Luís XV que serviam de vitrines individuais, e estendeu em cima um lenço imaculado. Depois sentou-se na frente de Lázara e esperou.

— Em que posso servi-la?

Ela tirou os anéis, as pulseiras, os colares, os brincos, tudo que estava à vista, e foi colocando sobre a escrivaninha numa ordem de tabuleiro de xadrez. A única coisa que queria, disse, era conhecer seu verdadeiro valor.

O joalheiro pôs o monóculo no olho esquerdo, e começou a examinar as joias com um silêncio clínico. Após um longo tempo, sem interromper o exame, perguntou:

— De onde a senhora é?

Lázara não havia previsto esta pergunta.

— Ai, meu senhor — suspirou. — De muito longe.

— Imagino — disse ele.

Voltou ao silêncio, enquanto Lázara examinava-o sem misericórdia com seus terríveis olhos de ouro. O joalheiro consagrou uma atenção especial ao diadema de diamantes, e colocou-o separado das outras joias. Lázara suspirou.

— O senhor é um Virgem perfeito — disse.

O joalheiro não interrompeu o exame.

— Como sabe?

— Pelo seu modo de ser — disse Lázara.

Ele não fez nenhum comentário até que terminou, e dirigiu-se a ela com a mesma parcimônia do princípio.

— De onde vem tudo isso?

— Herança da minha avó — disse Lázara com voz tensa. — Morreu o ano passado em Paramaribo, aos noventa e sete anos.

O joalheiro olhou-a então nos olhos. "Sinto muito", disse. "Mas o único valor destas coisas é o peso do ouro." Pegou o diadema com a ponta dos dedos e fez com que brilhasse debaixo da luz deslumbrante.

— Menos esta — disse. — É muito antiga, egípcia talvez, e teria um valor incalculável se não fosse pelo estado dos brilhantes. Mas de todo modo, tem um certo valor histórico.

Em troca, as pedras das outras joias, as ametistas, as esmeraldas, os rubis, os opalas, todas, sem exceção, eram falsas. "Sem dúvida, as originais foram boas", disse o joalheiro, enquanto recolhia as peças para devolvê-las. "Mas de tanto passar de uma geração a outra as pedras legítimas foram ficando no caminho, substituídas por cacos de garrafa." Lázara sentiu uma náusea verde, respirou fundo e dominou o pânico. O vendedor a consolou:

— É comum acontecer, senhora.

— Já sei — disse Lázara, aliviada. — Por isso quero me livrar delas.

Então sentiu que estava além da farsa, e tornou a ser ela mesma. Sem mais rodeios tirou da bolsa as abotoaduras, o relógio de bolso, os prendedores de gravata, as condecorações de ouro e prata, e o resto das joias pessoais do presidente, e pôs tudo em cima da mesa.

— Isto também? — perguntou o joalheiro.

— Tudo — disse Lázara.

Os francos suíços com que lhe pagaram eram tão novos que teve medo de manchar os dedos com a tinta fresca. Recebeu-os sem contar, e o joalheiro despediu-se na porta com a mesma cerimônia da recepção. Já de saída, segurando a porta de vidro para ela, atrasou-a um instante.

— Uma última coisa, senhora — disse —, sou Aquário.

No começo da noite Homero e Lázara levaram o dinheiro ao hotel. Feitas todas as contas, faltava um pouco. De maneira que o presidente tirou e foi pondo sobre a cama a aliança de casamento, o relógio com a corrente e as abotoaduras e o prendedor de gravatas que estava usando.

Lázara devolveu-lhe a aliança.

— Isto não — disse. — Uma lembrança destas não se pode vender.

O presidente admitiu e tornou a pôr a aliança. Lázara devolveu-lhe também o relógio do colete. "Isto também não", disse. O presidente não concordou mas ela o colocou em seu lugar.

— Quem pode querer vender relógios na Suíça?

— Já vendemos um — disse o presidente.

— Sim, mas não porque era relógio, porque era de ouro.

— Este também é de ouro — disse o presidente.

— Sim — disse Lázara. — Só que o senhor pode até ficar sem se operar, mas não pode ficar sem saber as horas.

Tampouco aceitou a armação de ouro dos óculos, embora ele tivesse outro par com armação de tartaruga. Calculou na mão o peso das joias, e pôs um fim às dúvidas.

— Além do mais — disse —, isto basta.

Antes de sair, tirou da corda a roupa molhada, sem consultá-lo, e levou-a para secar e passar em casa. Foram embora na motoneta, Homero conduzindo, e Lázara na garupa, abraçada à sua cintura. As luzes dos postes acabavam de ser acesas na tarde malva. O vento havia arrancado as últimas folhas, e as árvores pareciam fósseis depenados. Um rebocador descia pelo Ródano com um rádio a todo volume que ia deixando pelas ruas uma trilha de música. Georges Brassens cantava: *Mon amour tiens bien la barre, le temps va passer par là, et le temps est une barbare dans le genre d'Attila, par là où son cheval passe l'amour ne repousse pas.* Homero e Lázara corriam em silêncio embriagados pela canção e o cheiro memorável dos jacintos. Após um tempinho, ela pareceu despertar de um longo sonho.

— Caralho! — disse.

— O quê?

— Coitado do velho! — disse Lázara. — Que vida de merda!

Na sexta-feira seguinte, 7 de outubro, o presidente foi operado numa sessão de cinco horas que num primeiro momento deixou as coisas tão obscuras como estavam. A rigor, o único consolo era saber que estava vivo. Depois de dez dias, foi levado para um quarto com outros doentes, e puderam visitá-lo. Era outro: desorientado e macilento, e com um cabelo ralo que se soltava com o puro roçar do travesseiro. De sua antiga altivez só lhe restava a fluidez das mãos. Sua primeira tentativa de caminhar com duas bengalas ortopédicas foi desalentadora. Lázara ficava para dormir ao seu lado para economizar o custo de uma enfermeira noturna. Um dos doentes do quarto passou a primeira noite gritando com pânico da morte. Aquelas vigílias intermináveis acabaram com as últimas resistências de Lázara.

Quatro meses depois de ter chegado a Genebra, teve alta. Homero, administrador meticuloso de seus fundos exíguos, pagou as contas do hospital e levou-o em sua ambulância com outros empregados que ajudaram a subi-lo até o oitavo andar. Instalou-se no quarto das crianças, que nunca reconheceu, e pouco a pouco voltou à realidade. Empenhou-se nos exercícios de reabilitação com um rigor militar, e voltou a caminhar com sua bengala solitária. Mas mesmo vestido com a boa roupa de antes estava muito longe de ser o mesmo, tanto por seu aspecto quanto por sua maneira de ser. Temeroso do inverno que se anunciava muito severo, e que na realidade foi o mais cruel do século até aquela altura, decidiu regressar num barco que zarpava de Marselha no dia 13 de dezembro, contra a opinião dos médicos que queriam vigiá-lo um pouco mais. Na última hora o dinheiro não deu para tudo, e Lázara quis completá-lo escondida de seu marido com um arranhão a mais nas economias das crianças, mas também ali encontrou menos do que esperava. Então Homero confessou que havia pegado escondido dela para completar a conta do hospital.

— Bem — resignou-se Lázara. — Digamos que era o filho mais velho.

No dia 11 de dezembro foi embarcado no trem de Marselha debaixo de uma forte tormenta de neve, e só quando voltaram para casa encontraram uma carta de despedida no criado-mudo das crianças. Deixou lá sua aliança para Bárbara, junto com a da esposa morta, que jamais tentou vender, e o relógio de corrente para Lázaro. Como era domingo, alguns vizinhos caribenhos que descobriram o segredo haviam acudido à estação de Cornavin com um conjunto de harpas de Veracruz. O presidente estava sem fôlego, com o abrigo de perdulário e um longo cachecol colorido que tinha sido de Lázara, mas ainda assim permaneceu na boleia do último vagão acenando com o chapéu debaixo do açoite do vendaval. O trem começava a acelerar quando Homero percebeu que tinha ficado com a bengala. Correu até o extremo da plataforma e lançou-a com bastante força para que o presidente a agarrasse no ar, mas ela caiu entre as rodas e foi destroçada. Foi um instante de terror. A última coisa que Lázara viu foi a mão trêmula esticada para agarrar a bengala que nunca alcançou, e o guarda do trem que conseguiu agarrar pelo cachecol o ancião coberto de neve, e salvou-o no vazio. Lázara correu apavorada ao encontro do marido tentando rir entre as lágrimas.

— Deus meu — gritou para ele —, esse homem não morre de jeito nenhum.

Chegou são e salvo, conforme anunciou em seu extenso telegrama de gratidão. Não se voltou a saber nada dele durante mais de um ano. Por fim chegou uma carta de seis folhas manuscritas na qual já era impossível reconhecê-lo. A dor havia voltado, tão intensa e pontual como antes, mas ele decidiu não dar importância e dedicar-se a viver a vida do jeito que fosse. O poeta Aimé Césaire tinha lhe dado outra bengala com incrustações de nácar, mas estava decidido a não usá-la. Fazia seis meses que comia carne com regularidade, e todo tipo de mariscos, e era capaz de beber até vinte xícaras diárias de café da montanha. Mas já não lia o fundo da xícara porque seus prognósticos saíam ao contrário. No dia em que fez setenta e cinco anos havia tomado uns cálices pequenos do esplêndido rum da Martinica, que caíram muito bem, e voltou a fumar. Não se sentia melhor, é claro, nem pior. No entanto, o motivo real da carta era para comunicar-lhes que se sentia tentado a voltar ao seu país para colocar-se à frente de um movimento renovador, por uma causa justa e uma pátria digna, nem que fosse apenas pela glória mesquinha de não morrer de velhice na própria cama. Neste sentido, concluía a carta, a viagem para Genebra tinha sido providencial.

Junho de 1979.

A SANTA

Vinte e dois anos depois, tornei a ver Margarito Duarte. Apareceu de repente numa das ruazinhas secretas do Trastevere, e tive trabalho em reconhecê-lo à primeira vista por seu castelhano difícil e seu jeito ameno de romano antigo. Tinha o cabelo branco e escasso, e não restavam nele rastros da conduta lúgubre e das roupas funerárias de advogado andino com que havia vindo a Roma pela primeira vez, mas no curso da conversa fui resgatando-o pouco a pouco das perfídias dos anos e tornei a vê-lo como era: sigiloso, imprevisível, e de uma tenacidade de quebrador de pedra. Antes da segunda xícara de café num dos nossos bares de outros tempos, me atrevi a fazer-lhe a pergunta que me carcomia por dentro.

— O que aconteceu com a santa?

— Lá está a santa — respondeu. — Esperando.

Só o tenor Rafael Ribero Silva e eu podíamos entender a tremenda carga humana de sua resposta. Conhecíamos tanto seu drama que durante anos pensei que Margarito Duarte era o personagem em busca de autor que nós, romancistas, esperamos durante uma vida inteira, e se nunca deixei que me encontrasse foi porque o final de sua história me parecia inimaginável.

Tinha vindo a Roma naquela primavera radiante em que Pio XII padecia uma crise de soluço que nem as boas nem as más artes de médicos e feiticeiros haviam conseguido remediar. Saía pela primeira vez de sua escarpada aldeia do Tolima, nos Andes colombianos, e dava para notar isso até no seu jeito de dormir. Apresentou-se certa manhã em nosso consulado com a maleta de pinho polido que pela forma e o tamanho parecia o estojo de um violoncelo, e expôs ao cônsul o motivo surpreendente de sua viagem. O cônsul chamou então por telefone o tenor Rafael Ribero Silva, seu compatriota, para que conseguisse para ele um quarto na pensão onde nós dois morávamos. Foi assim que o conheci.

Margarito Duarte não havia passado da escola primária, mas sua vocação pelas belas-artes havia permitido uma formação mais ampla com a leitura apaixonada de tudo que era material impresso que encontrava ao seu alcance. Aos dezoito anos, sendo o escrivão do município, casou-se com uma bela moça que morreu pouco depois no parto de sua primeira filha. Esta, ainda mais bela que a mãe, morreu de uma febre misteriosa aos sete anos. Mas a verdadeira história de Margarito Duarte havia começado seis meses antes de sua chegada a Roma, quando foi preciso mudar o cemitério de sua aldeia para construir uma represa. Como todos os habitantes da região, Margarito desenterrou os ossos de seus mortos para levá-los ao cemitério novo. A esposa era pó. Na tumba contígua, porém, a menina continuava intacta depois de onze anos. Tanto que quando destamparam o caixão sentiu-se o hálito das rosas frescas com que a haviam enterrado. O mais assombroso, no entanto, é que o corpo carecia de peso.

Centenas de curiosos atraídos pelo clamor do milagre lotaram a aldeia. Não havia dúvida. A incorruptibilidade do corpo era um sintoma inequívoco da santidade, e até o bispo da diocese concordou que semelhante prodígio deveria ser submetido ao veredicto do Vaticano. Assim, foi feita uma coleta pública para que Margarito Duarte viajasse a Roma, para batalhar por uma causa que já não era apenas dele ou do âmbito estreito da aldeia, mas um assunto nacional.

Enquanto nos contava sua história na pensão do agradável bairro de Parioli, Margarito Duarte tirou o cadeado e abriu a tampa do baú primoroso. Foi assim que o tenor Ribero Silva e eu participamos do milagre. Não parecia uma múmia murcha como as que a gente vê em tantos museus do mundo, mas uma menina vestida de noiva que continuava dormindo ao cabo de uma longa estada debaixo da terra. A pele era polida e morna, e os olhos abertos eram diáfanos, e causavam a impressão insuportável de que nos viam da morte. A tule e os jasmins falsos da coroa não haviam resistido ao rigor do tempo com tão boa saúde como a pele, mas as rosas que haviam sido postas em suas mãos permaneciam vivas. O peso do estojo de pinho, na verdade, continuou sendo o mesmo quando tiramos o corpo.

Margarito Duarte começou suas gestões no dia seguinte ao da chegada. No começo com uma ajuda diplomática mais compassiva que eficaz, e depois com todas as artimanhas que lhe ocorreram para superar os incontáveis obstáculos do Vaticano. Foi sempre muito reservado sobre suas diligências, mas sabia-se que eram numerosas e inúteis. Fazia contatos com todas as congregações religiosas e fundações humanitárias que encontrava pelo caminho, onde o escutavam com atenção mas sem assombro, e lhe prometiam gestões imediatas que nunca davam em nada. A verdade é que a época não era a mais propícia. Tudo que tivesse a ver com a Santa Sé havia sido adiado até que o papa superasse a crise de soluços, resistente não apenas aos mais refinados recursos da medicina acadêmica, mas a todo tipo de remédios mágicos que lhe mandavam do mundo inteiro.

Finalmente, no mês de julho, Pio XII recuperou-se e foi para as suas férias de verão em Castelgandolfo. Margarito levou a santa à primeira audiência semanal com a esperança de mostrá-la. O papa apareceu no pátio interior, num balcão tão baixo que Margarito pôde ver suas unhas bem-polidas e chegou a sentir seu hálito de lavanda. Mas não circulou entre os turistas que chegavam do mundo inteiro para vê-lo, como

Margarito esperava, e pronunciou o mesmo discurso em seis idiomas e terminou com a bênção geral.

Após tantos adiamentos, Margarito decidiu enfrentar as coisas em pessoa, e levou à Secretaria de Estado uma carta manuscrita de quase sessenta folhas, para a qual não obteve resposta. Ele havia previsto isso, pois o funcionário que recebeu a carta com os formalismos de praxe limitou-se a dar uma olhada oficial na menina morta, e os empregados que passavam por perto a olhavam sem nenhum interesse. Um deles contou-lhe que no ano anterior haviam recebido mais de oitocentas cartas que solicitavam a santificação de cadáveres intactos em vários lugares do mundo. Margarito pediu enfim que se comprovasse a falta de gravidade do corpo. O funcionário a comprovou, mas negou-se a admitir.

— Deve ser um caso de sugestão coletiva — disse.

Em suas escassas horas livres e em seus áridos domingos de verão, Margarito permanecia em seu quarto, obstinado na leitura de qualquer livro que pudesse ter interesse para a sua causa. No fim de cada mês, por iniciativa própria, escrevia num caderno escolar uma relação minuciosa de seus gastos com sua caligrafia preciosista de amanuense-mor, para prestar contas rígidas e oportunas aos contribuintes de sua aldeia. Antes de terminar o ano conhecia os dédalos de Roma como se tivesse nascido neles, falava um italiano fácil e de tão poucas palavras quanto seu castelhano andino, e sabia tanto ou mais que qualquer um sobre processos de canonização. Mas passou muito mais tempo antes que mudasse seu traje fúnebre, e o colete e o chapéu de magistrado que na Roma da época eram próprios de algumas sociedades secretas de fins inconfessáveis. Saía logo cedo com o estojo da santa, e às vezes regressava tarde da noite, exausto e triste, mas sempre com um rescaldo de luz que infundia nele novos ânimos para o dia seguinte.

— Os santos vivem em seu próprio tempo — dizia.

Eu estava em Roma pela primeira vez, estudando no Cento Experimental de Cinema, e vivi seu calvário com uma intensidade inesquecível. A pensão onde morávamos era na realidade um apartamento moderno a poucos passos da Villa Borghese, cuja dona ocupava dois quartos e alugava quatro a estudantes estrangeiros. Nós a chamávamos de Maria Bela, e era bonita e temperamental na plenitude de seu outono, e sempre fiel à norma sagrada de que cada um é rei absoluto dentro de seu quarto. Na verdade, quem levava o peso da vida cotidiana era sua irmã mais velha, a tia Antonieta, um anjo sem asas que trabalhava horas a fio durante o dia, e andava por todos os lados com seu balde e sua vassoura de enxergão lustrando além do possível os mármores do piso. Foi ela quem nos ensinou a comer os passarinhos cantores que Bartolino, seu esposo, caçava por um mau hábito que lhe restou da guerra, e quem terminaria levando Margarito a morar em sua casa quando os recursos não deram mais para os preços de Maria Bela.

Nada menos adequado para o modo de ser de Margarito que aquela casa sem lei. Cada hora nos reservava alguma novidade, até na madrugada, quando nos despertava o rugido pavoroso do leão no zoológico da Villa Borghese. O tenor Ribero Silva havia conquistado o privilégio de que os romanos não se ressentissem de seus ensaios madrugadores. Levantava-se às seis, tomava um banho medicinal de água gelada e ajeitava a barba e as sobrancelhas de Mefistófeles, e só quando já estava pronto com o roupão escocês, o cachecol de seda chinesa e sua água-de-colônia pessoal, entregava-se de corpo e alma aos seus exercícios de canto. Abria de par em par as janelas do quarto, ainda com as estrelas do inverno, e começava a aquecer a voz com fraseados progressivos de grandes árias de amor, até que se soltava e cantava a toda. A expectativa diária era quando dava o dó de peito e o leão da Villa Borghese respondia com um rugido de tremor de terra.

— Você é São Marcos reencarnado, *figlio mio* — exclamava tia Antonieta, assombrada de verdade. — Só ele podia falar com os leões.

Certa manhã, não foi o leão quem replicou. O tenor iniciou o dueto de amor do *Otello: Già nella notte densa s'estingue ogni clamor.* De repente, do fundo do pátio, nos chegou a resposta numa bela voz de soprano. O tenor prosseguiu, e as duas vozes cantaram a parte completa, para o prazer da vizinhança que abriu as janelas para santificar suas casas com a torrente daquele amor irresistível. O tenor quase desmaiou quando soube que sua Desdêmona invisível era nada menos que a grande Maria Caniglia.

Tenho a impressão de que foi aquele episódio que deu um motivo válido a Margarito Duarte para integrar-se na vida da casa. A partir de então sentou-se com todos à mesa comum e não na cozinha, como no princípio, onde a tia Antonieta o alegrava quase que todos os dias com seu ensopado magistral de passarinhos cantores. Maria Bela lia para nós, na sobremesa, os jornais do dia, para acostumar-nos à fonética italiana, e completava as notícias com uma arbitrariedade e uma graça que alegravam nossas vidas. Num daqueles dias nos contou, a propósito da santa, que na cidade de Palermo havia um enorme museu com os cadáveres incorruptos de homens, mulheres e crianças, e inclusive de vários bispos, desenterrados de um mesmo cemitério dos padres capuchinhos. A notícia inquietou tanto Margarito que não teve um só instante de paz até que fomos a Palermo. Mas bastou-lhe dar uma olhada rápida pelas abrumadoras galerias de múmias sem glória para formar um julgamento de consolo.

— Não são o mesmo caso — disse ele. — A gente nota em seguida que estes estão mortos.

Depois do almoço, Roma sucumbia no torpor de agosto. O sol de meio-dia ficava imóvel no centro do céu, e no silêncio das duas da tarde só se ouvia o rumor da água, que é a voz natural de Roma. Mas lá pelas sete da noite as janelas se abriam de repente para convocar o ar fresco que começava a se mover, e uma multidão jubilosa atirava-se nas ruas sem nenhum propósito além de viver, no meio dos petardos das motocicletas, dos gritos dos vendedores de melancia e das canções de amor entre as flores dos terraços.

O tenor e eu não fazíamos a sesta. Íamos em sua *vespa,* ele conduzindo e eu na garupa, e levávamos sorvetes e chocolates para as putinhas de verão que borboleteavam debaixo dos louros centenários da Villa Borghese, em busca de turistas desvelados em pleno sol. Eram belas, pobres e carinhosas, como a maioria das italianas daquele tempo, vestidas de organdi azul, de popelina rosada, de linho verde, e se protegiam do sol com as sombrinhas baleadas pelas chuvas da guerra recente. Era um prazer humano estar com elas, porque saltavam por cima das leis do ofício e se davam o luxo de perder um bom cliente para ir conosco tomar um café com muita conversa no bar da esquina, ou passear nas charretes de aluguel pelas trilhas do parque, ou a se condoer conosco por causa dos reis destronados e suas amantes trágicas que cavalgavam ao entardecer no *galoppatoio.* Mais de uma vez servíamos de intérpretes entre elas e algum gringo descarrilado.

Não foi por causa delas que levamos Margarito Duarte à Villa Borghese, mas para que conhecesse o leão. Vivia em liberdade numa ilhota desértica circundada por um fosso profundo, e assim que nos viu na outra margem começou a rugir com um desassossego que surpreendeu o guarda. Os visitantes do parque foram ver, surpresos. O tenor tentou se identificar com seu dó de peito matinal, mas o leão não prestou atenção. Parecia rugir a todos nós sem diferença, mas o vigilante percebeu no ato que ele rugia só para Margarito. E era: para onde ele se movia, movia-se o leão, e no momento em que se escondia, o leão parava de rugir. O vigilante, que era doutor em letras clássicas pela universidade de Siena, pensou que Margarito devia ter estado naqueles dias com outros leões que o contaminaram com seu cheiro. Além dessa explicação, que não valia, não encontrou outra.

— Seja como for — afirmou —, não são rugidos de guerra, são de compaixão.

No entanto, o que impressionou o tenor Ribero Silva não foi aquele episódio sobrenatural, mas a comoção de Margarito quando pararam para conversar com as moças do parque. Comentou isso na mesa e, uns por malícia, outros por compreensão, concordamos que seria uma boa obra ajudar Margarito a resolver sua solidão. Comovida pela debilidade de nossos corações, Maria Bela apertou a peitaria de mãe bíblica com suas mãos empedradas de anéis de bijuteria.

— Eu faria isso por caridade — disse —, se não fosse pelo fato de jamais ter conseguido com homens que usam colete.

Assim, o tenor passou pela Villa Borghese às duas da tarde e levou nas ancas de sua *vespa* a borboletinha que lhe pareceu a mais propícia para dar uma hora de boa companhia a Margarito Duarte. Fez com que ela se despisse em seu próprio quarto, banhou-a com sabonete de cheiro, perfumou-a com sua água-de-colônia pessoal, e polvilhou-a de corpo inteiro com seu talco alcanforado de pós-barba. No fim, pagou a ela o tempo que tinha passado e mais uma hora, e indicou-lhe, letra por letra, o que deveria fazer.

A bela despida atravessou na ponta dos pés a casa em penumbra, como um sonho de sesta, e deu duas batidinhas ternas na porta do fundo. Margarito Duarte, descalço e sem camisa, abriu a porta.

— *Buona sera giovanotto* — disse ela, com voz e modos de colegial. — *Mi manda il tenore.*

Margarito assimilou o golpe com grande dignidade. Terminou de abrir a porta para dar passagem, e ela estendeu-se na cama enquanto ele vestia, a toda pressa, a camisa e os sapatos, para atendê-la com o devido respeito. Depois sentou-se ao seu lado numa cadeira, e começou a conversar. Surpresa, a moça disse-lhe que andasse depressa, pois só dispunham de uma hora. Ele fez que não entendeu.

A moça disse depois que de qualquer maneira teria ficado o tempo que ele quisesse, sem cobrar nenhum centavo, porque não podia haver no mundo homem mais bem-comportado. Sem saber o que fazer enquanto isso, examinou o quarto com os olhos e descobriu o estojo de madeira junto da lareira. Perguntou se era um saxofone. Margarito não respondeu, apenas entreabriu a persiana para que entrasse um pouco de luz, levou o estojo até a cama e levantou a tampa. A moça tentou dizer alguma coisa, mas ficou com a mandíbula deslocada. Ou como conforme nos disse depois: *Mi si gelò il culo.* Escapou apavorada, mas enganou-se de direção no corredor, e encontrou-se com a tia Antonieta, que ia colocar uma lâmpada nova no meu quarto. Foi tamanho o susto das duas que a moça não se atreveu a sair do quarto do tenor até alta noite.

Tia Antonieta nunca soube o que aconteceu. Entrou no meu quarto tão assustada que não conseguia enroscar a lâmpada, por causa do tremor nas mãos. Perguntei a ela o que estava acontecendo. "É que nesta casa tem assombração", respondeu. "E agora, em pleno dia." Contou com uma grande convicção que, durante a guerra, um oficial alemão degolou sua amante no quarto que o tenor ocupava. Muitas vezes, enquanto andava em suas tarefas, a tia Antonieta havia visto a aparição da bela assassinada percorrendo seus passos pelos corredores.

— Acabo de vê-la pelada caminhando pelo corredor — disse ela. — Era idêntica.

A cidade recobrou sua rotina no outono. Os terraços floridos do verão fecharam-se com os primeiros ventos, e o tenor e eu tornamos à velha *trattoria* do Trastevere, onde costumávamos jantar com os alunos de canto do conde Carlo Calcagni, e alguns colegas meus da escola de cinema. Entre estes últimos, o mais assíduo era Lakis, um grego inteligente e simpático, cujo único tropeço eram seus discursos adormecedores sobre a injustiça social. Por sorte, os tenores e as sopranos conseguiam quase sempre derrotá-lo com trechos de ópera cantados aos berros, que ainda assim não incomodavam ninguém, mesmo depois da meia-noite. Ao contrário, alguns dos notívagos somavam-se ao coro, e na vizinhança janelas eram abertas para aplaudir.

Uma noite, enquanto cantávamos, Margarito entrou na ponta dos pés para não nos interromper. Carregava o estojo de pinho que não havia tido tempo de deixar na pensão depois de mostrar a santa ao pároco de San Juan de Letrán, cuja influência perante a Sagrada Congregação do Ritual era de domínio público. Cheguei a ver de soslaio que deixou-o debaixo de uma mesa afastada, e sentou-se enquanto terminávamos de cantar. Como ocorria sempre por volta da meia-noite, reunimos várias mesas quando a *trattoria* começou a esvaziar, e ficamos juntos, os que cantavam, os que falávamos de cinema, e os amigos de todos. E entre eles, Margarito Duarte, que já era conhecido ali como o colombiano silencioso e triste e do qual ninguém sabia nada. Lakis, intrigado, perguntou a ele se tocava violoncelo. Eu me encolhi com o que me pareceu uma indiscrição difícil de ser contornada. O tenor, tão incômodado quanto eu, não conseguiu remediar a situação. Margarito foi o único que encarou a pergunta com toda naturalidade.

— Não é um violoncelo — disse. — É uma santa.

Pôs a caixa sobre a mesa, abriu o cadeado e levantou a tampa. Uma rajada de estupor estremeceu o restaurante. Os outros clientes, os garçons, e finalmente o pessoal da cozinha, com seus aventais ensanguentados, congregaram-se atônitos para contemplar o prodígio. Alguns se persignaram. Uma das cozinheiras ajoelhou-se com as mãos unidas, presa de um tremor de febre, e rezou em silêncio.

No entanto, passada a comoção inicial, nos enrolamos numa discussão aos gritos sobre a insuficiência da santidade em nossos tempos. Lakis, é claro, foi o mais radical. A única coisa que ficou clara foi sua ideia de fazer um filme crítico com o tema da santa.

— Tenho certeza — disse — que o velho Cesare não deixaria esse tema escapar.

Referia-se a Cesare Zavattini, nosso mestre de argumento e roteiro, um dos grandes da história do cinema e o único que mantinha conosco uma relação pessoal à margem da escola. Tentava ensinar-nos não apenas o ofício, mas uma maneira diferente de ver a vida. Era uma máquina de pensar argumentos. Saltavam aos borbotões, quase contra a sua vontade. E com tanta pressa que sempre fazia falta a ajuda de alguém para pensá-los em voz alta e agarrá-los em pleno voo. Só que, ao terminá-los, seu ânimo despencava. "É uma pena que tenha de ser filmado", dizia. Pois achava que na tela perderia muito de sua magia original. Conservava as ideias em fichas organizadas por temas e presas com alfinetes nas paredes, e tinha tantas que ocupavam um quarto de sua casa.

No sábado seguinte, levamos Margarito Duarte para vê-lo. Era tão guloso de vida que o encontramos na porta de sua casa da rua Angela Merici, ardendo de ansiedade pela ideia que havíamos anunciado por telefone. Nem nos cumprimentou com a amabilidade habitual, mas levou Margarito até uma mesa preparada, ele mesmo abriu o estojo. Então aconteceu o que menos imaginávamos. Em vez de enlouquecer, como era previsível, sofreu uma espécie de paralisia mental.

— *Ammazza!* — murmurou espantado.

Olhou a santa em silêncio por dois ou três minutos, fechou, ele mesmo, a caixa, e sem dizer nada levou Margarito até a porta, como um menino que desse os seus primeiros passos. Despediu-se dele com uns tapinhas nas costas. "Obrigado, filho, muito obrigado", disse a ele. "E que Deus te acompanhe em sua luta." Quando fechou a porta virou-se para nós, e deu seu veredicto.

— Não serve para cinema — disse. — Ninguém acreditaria.

Esta lição surpreendente acompanhou-nos no bonde de regresso. Se ele dizia, não havia o que discutir: a história não servia. No entanto, Maria Bela recebeu-nos com o recado urgente de que Zavattini nos esperava naquela mesma noite, mas sem Margarito.

Nós o encontramos em um de seus momentos de esplendor. Lakis havia levado dois ou três colegas, mas ele nem pareceu vê-los quando abriu a porta.

— Já sei — gritou. — O filme será um estouro se Margarito fizer o milagre de ressuscitar a menina.

— No filme ou na vida? — perguntei.

Ele reprimiu a contrariedade. "Não seja bobo", disse. Mas em seguida vimos em seus olhos o brilho de uma ideia irresistível. "A não ser que seja capaz de ressuscitá-la na vida real", disse, e refletiu a sério:

— Devia tentar.

Foi só uma tentação instantânea, antes de retomar o fio da meada. Começou a passear pela casa, como um louco feliz, gesticulando e recitando o filme em voz alta. Nós o escutávamos deslumbrados, com a impressão de estarmos vendo as imagens como pássaros fosforescentes que escapavam em tropelia e voavam enlouquecidos pela casa inteira.

— Certa noite — disse —, quando já morreram uns vinte papas que não o receberam, Margarito entra em sua casa, cansado e velho, abre a caixa, acaricia a cara da mortinha, e lhe diz com toda a ternura do mundo: "Por amor ao teu pai, filhinha: levanta-te e anda."

Olhou para nós, e arrematou com um gesto triunfal:

— E a menina se levanta!

Esperava alguma coisa de nós. Mas estávamos tão perplexos que não sabíamos o que dizer. A não ser Lakis, o grego, que levantou o dedo, como na escola, para pedir a palavra.

— Meu problema é que não acredito nisso — disse, e diante da nossa surpresa, dirigiu-se diretamente a Zavattini: — Perdão, mestre, mas não acredito.

Então foi Zavattini quem ficou atônito.

— E não acredita por quê?

— Sei lá — disse Lakis, angustiado. — É que não dá.

— *Ammazza!* — gritou então o mestre, com um estrondo que deve ter sido ouvido no bairro inteiro. — É isso o que mais me enche nos stalinistas: é que não acreditam na realidade.

Nos quinze anos seguintes, segundo ele mesmo me contou, Margarito levou a santa a Castelgandolfo para ver se aparecia a ocasião de mostrá-la. Numa audiência de uns duzentos peregrinos da América Latina chegou a contar sua história, entre empurrões e cotoveladas, ao benévolo João XXIII. Mas não pôde mostrar-lhe a menina porque teve de deixá-la na entrada, junto com as bolsas dos outros peregrinos, para prevenir um atentado. O papa escutou-o com tanta atenção como foi possível no meio da multidão, e deu em sua face uma palmadinha de incentivo.

— *Bravo, figlio mio* — disse. — Deus premiará sua perseverança.

No entanto, quando de verdade sentiu-se na beira de realizar seu sonho, foi durante o reinado fugaz do sorridente Albino Luciani. Um parente do papa, impressionado pela história de Margarito, prometeu ajudar. Ninguém deu a menor bola. Mas dois dias depois, enquanto almoçavam, alguém telefonou para a pensão com um recado rápido e simples para Margarito: não devia sair de Roma, pois antes da quinta-feira seria chamado ao Vaticano para uma audiência privada.

Nunca se soube se foi um trote. Margarito achava que não, e manteve-se alerta. Não saiu de casa. Se precisava ir ao banheiro, anunciava em voz alta: "Vou ao banheiro." Maria Bela, sempre graciosa nos primeiros alvores da velhice, soltava sua gargalhada de mulher livre.

— A gente já sabe, Margarito — gritava —, se por acaso o papa telefonar para você.

Na semana seguinte, dois dias antes do telefonema anunciado, Margarito desmoronou diante da manchete do jornal que deslizaram por baixo da porta: *Morto il Papa.* Por um instante, foi mantido pela ilusão de que era um jornal atrasado que haviam levado por engano, pois não era fácil acreditar que morresse um papa por mês. Mas foi assim: o sorridente Albino Luciani, eleito trinta e três dias antes, havia amanhecido morto na cama.

Voltei a Roma vinte e dois anos depois de conhecer Margarito Duarte, e talvez não tivesse pensado nele se não o encontrasse por acaso. Eu estava demasiado oprimido pelos estragos do tempo para pensar em alguém. Caía sem cessar uma chuvinha boba, feito caldo morno, a luz de diamante de outros tempos tinha se tornado turva, e os lugares que haviam sido meus e sustentavam minhas nostalgias eram outros e alheios. A casa onde ficava a pensão continuava a mesma, mas ninguém sabia nada de Maria Bela. Ninguém respondia em seis números de telefone que o tenor Ribero Silva havia me mandado através dos anos. Num almoço com o novo pessoal do cinema evoquei a memória de meu mestre, e um silêncio súbito sobrevoou a mesa por um instante, até que alguém atreveu-se a dizer:

— *Zavattini? Mai sentito.*

Assim era: ninguém havia ouvido falar dele. As árvores da Villa Borghese estavam desgrenhadas debaixo da chuva, o *galoppatoio* das princesas tristes havia sido devorado por um matagal sem flores, e as belas de antigamente haviam sido substituídas por atletas andróginos travestidos com mau gosto. O único sobrevivente da fauna extinta era o velho leão, sarnoso e gripado, em sua ilha de águas murchas. Ninguém cantava nem morria de amor nas *trattorias* plastificadas na praça

Espanha. Pois a Roma de nossas nostalgias era já outra Roma antiga dentro da antiga Roma dos césares. De repente, uma voz que podia vir do além me parou em seco numa ruela do Trastevere:

— Oi, poeta.

Era ele, velho e cansado. Cinco papas tinham morrido, a Roma eterna mostrava os primeiros sintomas de decrepitude, e ele continuava esperando. "Esperei tanto que não pode estar faltando muito", disse ao se despedir, depois de quase quatro horas de lembranças. "Pode ser coisa de meses." Foi-se embora arrastando os pés pelo meio da rua, com suas botas de guerra e seu gorro desbotado de romano velho, sem se preocupar com os charcos de chuva onde a lua começava a apodrecer. Então eu não tive mais nenhuma dúvida, se é que alguma vez tinha tido, de que o santo era ele. Sem perceber, através do corpo incorrupto de sua filha, levava vinte e dois anos lutando em vida pela causa legítima de sua própria canonização.

Agosto de 1981.

O AVIÃO DA BELA ADORMECIDA

Era bela, elástica, com uma pele suave da cor do pão e olhos de amêndoas verdes, e tinha o cabelo liso e negro e longo até as costas, e uma aura de antiguidade que tanto podia ser da Indonésia como dos Andes. Estava vestida com um gosto sutil: jaqueta de lince, blusa de seda natural com flores muito tênues, calças de linho cru, e uns sapatos rasos da cor das buganvílias. "Esta é a mulher mais bela que vi na vida", pensei, quando a vi passar com seus sigilosos passos de leoa, enquanto eu fazia fila para abordar o avião para Nova York no aeroporto Charles de Gaulle de Paris. Foi uma aparição sobrenatural que existiu um só instante e desapareceu na multidão do saguão.

Eram nove da manhã. Estava nevando desde a noite anterior, e o trânsito era mais denso que de costume nas ruas da cidade, e mais lento ainda na estrada, e havia caminhões de carga alinhados nas margens, e automóveis fumegantes na neve. No saguão do aeroporto, porém, a vida continuava em primavera.

Eu estava na fila atrás de uma anciã holandesa que demorou quase uma hora discutindo o peso de suas onze malas. Começava a me aborrecer quando vi a aparição instantânea que me deixou sem respiração, e por isso não soube como terminou a polêmica, até que a funcionária me baixou das nuvens chamando minha atenção pela distração. À guisa de desculpa, perguntei se ela acreditava nos amores à primeira vista. "Claro que sim", respondeu. "Os impossíveis são os outros." Continuou com os olhos fixos na tela do computador, e me perguntou que assento eu preferia: fumante ou não fumante.

— Dá na mesma — disse categórico —, desde que não seja ao lado das onze malas.

Ela agradeceu com um sorriso comercial sem afastar a vista da tela fosforescente.

— Escolha um número — me disse. — Três, quatro ou sete.

— Quatro.

Seu sorriso teve um fulgor triunfal.

— Nos quinze anos em que estou aqui — disse —, é o primeiro que não escolhe o sete.

Marcou no cartão de embarque o número do assento e me entregou com o resto de meus papéis, olhando-me pela primeira vez com uns olhos cor de uva que me serviram de consolo enquanto via a bela de novo. Só então me avisou que o aeroporto acabava de ser fechado e todos os voos estavam adiados.

— Até quando?

— Só Deus sabe — disse com seu sorriso. — O rádio avisou esta manhã que será a maior nevada do ano.

Enganou-se: foi a maior do século. Mas na sala de espera da primeira classe a primavera era tão real que havia rosas vivas nos vasos e até a música enlatada parecia tão sublime e sedante como queriam seus criadores. De repente pensei que aquele era um refúgio adequado para a bela, e procurei-a nos outros salões, estremecido pela minha própria audácia. Mas na maioria eram homens da vida real que liam jornais em inglês enquanto suas mulheres pensavam em outros, contemplando os aviões mortos na neve através das janelas panorâmicas, contemplando as fábricas glaciais, as vastas plantações de Roissy devastadas pelos leões. Depois do meio-dia não havia um espaço disponível, e o calor tinha-se tornado tão insuportável que escapei para respirar.

Lá fora encontrei um espetáculo assustador. Gente de todo tipo havia transbordado as salas de espera e estava acampada nos corredores sufocantes, e até nas escadas, estendida pelo chão com seus animais e suas crianças, e seus trastes de viagem. Pois também a comunicação com a cidade estava interrompida, e o palácio de plástico transparente parecia uma imensa cápsula espacial encalhada na tormenta. Não pude evitar a ideia de que também a bela deveria estar em algum lugar no meio daquelas hordas mansas, e essa fantasia me deu novos ânimos para esperar.

Na hora do almoço havíamos assumido nossa consciência de náufragos. As filas tornaram-se intermináveis diante dos sete restaurantes, as cafeterias, os bares abarrotados, e em menos de três horas tiveram de fechar tudo porque não havia nada para comer ou beber. As crianças, que por um momento pareciam ser todas as do mundo, puseram-se a chorar ao mesmo tempo, e começou a se erguer da multidão um cheiro de rebanho. Era o tempo dos instintos. A única coisa que consegui comer no meio daquela rapina foram os dois últimos copinhos de sorvete de creme numa lanchonete infantil. Torneios pouco a pouco no balcão, enquanto os garçons punham as cadeiras sobre as mesas na medida em que elas se desocupavam, olhando-me no espelho do fundo, com o último copinho de papelão e a última colherzinha de papelão, e com o pensamento na bela.

O voo para Nova York, previsto para as onze da manhã, saiu às oito da noite. Quando finalmente consegui embarcar, os passageiros da primeira classe já estavam em seus lugares, e uma aeromoça me conduziu ao meu. Perdi a respiração. Na poltrona vizinha, junto da janela, a bela estava tomando posse de seu espaço com o domínio dos viajantes experientes. "Se alguma vez eu escrever isto, ninguém vai acreditar" , pensei. E tentei de leve em minha meia língua um cumprimento indeciso que ela não percebeu.

Instalou-se como se fosse morar ali muitos anos, pondo cada coisa em seu lugar e em sua ordem, até que o local ficou tão bem-arrumado como a casa ideal, onde tudo estava ao alcance da mão. Enquanto fazia isso, o comissário trouxe-nos o champanha de boas-vindas. Peguei uma taça para oferecer a ela, mas me arrependi a tempo. Pois quis apenas um copo d'água, e pediu ao comissário, primeiro num francês inacessível e depois num inglês um pouco mais fácil, que não a despertasse por nenhum motivo durante o voo. Sua voz grave e morna arrastava uma tristeza oriental.

Quando levaram a água, ela abriu sobre os joelhos uma caixinha de toucador com esquinas de cobre, como os baús das avós, e tirou duas pastilhas douradas de um estojinho onde levava outras de cores diversas. Fazia tudo de um modo metódico e parcimonioso, como se não houvesse nada que não estivesse previsto para ela desde seu nascimento. Por último baixou a cortina da janela, estendeu a poltrona ao máximo, cobriu-se com a manta até a cintura sem tirar os sapatos, pôs a máscara de dormir, deitou-se de lado na poltrona, de costas para mim, e dormiu sem uma única pausa, sem um suspiro, sem uma mudança mínima de posição, durante as oito horas eternas e os doze minutos de sobra que o voo de Nova York durou.

Foi uma viagem intensa. Sempre acreditei que não há nada mais belo na natureza que uma mulher bela, de maneira que foi impossível para mim escapar um só instante do feitiço daquela criatura de fábula que dormia ao meu lado. O comissário havia desaparecido assim que decolamos, e foi substituído por uma aeromoça cartesiana que tentou despertar a bela para dar-lhe o estojo de maquiagem e os auriculares para a música. Repeti a advertência que a bela havia feito ao comissário, mas a aeromoça insistiu para ouvir de sua própria voz que tampouco queria jantar. Foi preciso que o comissário confirmasse, e ainda assim a aeromoça me repreendeu porque a bela não havia colocado no pescoço o cartãozinho com a ordem de não ser despertada.

Fiz um jantar solitário, dizendo-me em silêncio tudo que teria dito a ela, se estivesse acordada. Seu sono era tão estável que em certo momento tive a inquietude que aquelas pastilhas não fossem para dormir e sim para morrer. Antes de cada gole, levantava a taça e brindava.

— À tua saúde, bela.

Terminado o jantar, apagaram as luzes, mostraram um filme para ninguém, e nós dois ficamos sozinhos na penumbra do mundo. A maior tormenta do século havia passado, e a noite do Atlântico era imensa e límpida, e o avião parecia imóvel entre as estrelas. Então contemplei-a palmo a palmo durante várias horas, e o único sinal de vida que pude perceber foram as sombras dos sonhos que passavam por sua fronte como as nuvens na água. Tinha no pescoço uma corrente tão fina que era quase invisível sobre sua pele de ouro, as orelhas perfeitas sem os furinhos para brincos, as unhas rosadas da boa saúde e um anel liso na mão esquerda. Como não parecia ter mais de vinte anos, me consolei com a ideia de que não fosse a aliança de um casamento e sim de um namoro efêmero. "Saber que você dorme, certa, segura, leito fiel de abandono, linha pura, tão perto de meus braços atados", pensei, repetindo na crista de espuma de champanha o soneto magistral de Gerardo Diego. Em seguida estendi a poltrona na altura da sua, e ficamos deitados mais próximos que numa cama de casal. O clima de sua respiração era o mesmo da voz, e sua pele exalava um hálito tênue que só podia ser o próprio cheiro de sua beleza. Eu achava incrível: na primavera anterior havia lido um bonito romance de Yasumari Kawabata sobre os anciões burgueses de Kyoto que pagavam somas enormes para passar a noite contemplando as moças mais bonitas da cidade, nuas e narcotizadas, enquanto eles agonizavam de amor na mesma cama. Não podiam despertá-las, nem tocá-las, e nem tentavam, porque a essência do prazer era vê-las dormir. Naquela noite, velando o sono da bela, não apenas entendi aquele refinamento senil, como o vivi na plenitude.

— Quem iria acreditar — me disse, com o amor-próprio exacerbado pelo champanha. — Eu, ancião japonês a estas alturas.

Acho que dormi várias horas, vencido pelo champanha e os clarões mudos do filme, e despertei com a cabeça aos cacos. Fui ao banheiro. Dois lugares atrás do meu, jazia a anciã das onze maletas esparramada mal-acomodada na poltrona. Parecia um morto esquecido no campo de batalha. No chão, no meio do corredor, estavam seus óculos de leitura com o colar de contas coloridas, e por um instante desfrutei da felicidade mesquinha de não os recolher.

Depois de desafogar-me dos excessos de champanha me surpreendi no espelho, indigno e feio, e me assombrei por serem tão terríveis os estragos do amor. De repente o avião foi a pique, ajeitou-se como pôde, e prosseguiu voando a galope. A ordem de voltar ao assento acendeu. Saí em disparada, com a ilusão de que somente as turbulências de Deus despertariam a bela, e que teria de se refugiar em meus braços fugindo do terror. Na pressa estive a ponto de pisar nos óculos da holandesa, e teria me alegrado. Mas voltei sobre meus passos, os recolhi, os coloquei em seu regaço, agradecido de repente por ela não ter escolhido antes de mim o assento número quatro.

O sono da bela era invencível. Quando o avião se estabilizou, tive que resistir à tentação de sacudi-la com um pretexto qualquer, porque a única coisa que desejava naquela última hora de voo era vê-la acordada, mesmo que estivesse enfurecida, para que eu pudesse recobrar minha liberdade e talvez minha juventude. Mas não fui capaz. "Que merda", disse a mim mesmo, com um grande desprezo. "Por que não nasci Touro?" Despertou sem ajuda no instante em que os anúncios de aterrissagem se acenderam, e estava tão bela e louçã como se tivesse dormido num roseiral. Só então percebi que os vizinhos de assento nos aviões, como os casais velhos, não se dizem bom-dia ao despertar. Ela também não. Tirou a máscara, abriu os olhos radiantes, endireitou a poltrona, pôs a manta de lado, sacudiu as melenas que se penteavam sozinhas com seu próprio peso, tornou a pôr a caixinha nos joelhos, e fez uma maquiagem rápida e supérflua, o suficiente para não olhar para mim até que a porta foi aberta. Então pôs a jaqueta de lince, passou quase que por cima de mim com uma desculpa convencional em puro castelhano das Américas, e foi sem nem ao menos se despedir, sem ao menos me agradecer o muito que fiz por nossa noite feliz, e desapareceu até o sol de hoje na amazônia de Nova York.

Junho de 1982.

ME ALUGO PARA SONHAR

Às nove, enquanto tomávamos o café da manhã no terraço do Habana Riviera, um tremendo golpe de mar em pleno sol levantou vários automóveis que passavam pela avenida à beira-mar, ou que estavam estacionados na calçada, e um deles ficou incrustado num flanco do hotel. Foi como uma explosão de dinamite que semeou pânico nos vinte andares do edifício e fez virar pó a vidraça do vestíbulo. Os numerosos turistas que se encontravam na sala de espera foram lançados pelos ares junto com os móveis, e alguns ficaram feridos pelo granizo de vidro. Deve ter sido uma vassourada colossal do mar, pois entre a muralha da avenida à beira-mar e o hotel há uma ampla avenida de ida e volta, de maneira que a onda saltou por cima dela e ainda teve força suficiente para esmigalhar a vidraça.

Os alegres voluntários cubanos, com a ajuda dos bombeiros, recolheram os destroços em menos de seis horas, trancaram a porta que dava para o mar e habilitaram outra, e tudo tornou a ficar em ordem. Pela manhã, ninguém ainda havia cuidado do automóvel pregado no muro, pois pensava-se que era um dos estacionados na calçada. Mas quando o reboque tirou-o da parede descobriram o cadáver de uma mulher preso no assento do motorista pelo cinto de segurança. O golpe foi tão brutal que não sobrou nenhum osso inteiro. Tinha o rosto desfigurado, os sapatos descosturados e a roupa em farrapos, e um anel de ouro em forma de serpente com olhos de esmeraldas. A polícia afirmou que era a governanta dos novos embaixadores de Portugal. Assim era: tinha chegado com eles a Havana quinze dias antes, e havia saído naquela manhã para fazer compras dirigindo um automóvel novo. Seu nome não me disse nada quando li a notícia nos jornais, mas fiquei intrigado por causa do anel em forma de serpente e com olhos de esmeraldas. Não consegui saber, porém, em que dedo o usava.

Era um detalhe decisivo, porque temi que fosse uma mulher inesquecível cujo verdadeiro nome não soube jamais, que usava um anel igual no indicador direito, o que era mais insólito ainda naquele tempo. Eu a havia conhecido 34 anos antes em Viena, comendo salsichas com batatas cozidas e bebendo cerveja de barril numa taberna de estudantes latinos. Eu havia chegado de Roma naquela manhã, e ainda recordo minha impressão imediata por seu imenso peito de soprano, suas lânguidas caudas de raposa na gola do casaco e aquele anel egípcio em forma de serpente. Achei que era a única austríaca ao longo daquela mesona de madeira, pelo castelhano primário que falava sem respirar com sotaque de bazar de quinquilharia. Mas não, havia nascido na Colômbia e tinha ido para a Áustria entre as duas guerras, quase menina, estudar música e canto. Naquele momento andava pelos trinta anos mal vividos, pois nunca deve ter sido bela e havia começado a envelhecer antes do tempo. Em compensação, era um ser humano encantador. E também um dos mais temíveis.

Viena ainda era uma antiga cidade imperial, cuja posição geográfica entre os dois mundos irreconciliáveis deixados pela Segunda Guerra Mundial havia terminado de convertê-la num paraíso do mercado negro e da espionagem mundial. Eu não teria conseguido imaginar um ambiente mais adequado para aquela compatriota fugitiva que continuava comendo na taberna de estudantes da esquina por pura fidelidade às suas origens, pois tinha recursos de sobra para comprá-la à vista, com clientela e tudo. Nunca disse o seu verdadeiro nome, pois sempre a conhecemos com o trava-língua germânico que os estudantes latinos de Viena inventaram para ela: Frau Frida. Eu tinha acabado de ser apresentado a ela quando cometi a impertinência feliz de perguntar como havia feito para implantar-se de tal modo naquele mundo tão distante e diferente de seus penhascos de ventos do Quindío, e ela me respondeu de chofre:

— Eu me alugo para sonhar.

Na realidade, era seu único ofício. Havia sido a terceira dos onze filhos de um próspero comerciante da antiga Caldas, e desde que aprendeu a falar instalou na casa o bom costume de contar os sonhos em jejum, que é a hora em que se conservam mais puras suas virtudes premonitórias. Aos sete anos sonhou que um de seus irmãos era arrastado por uma correnteza. A mãe, por pura superstição religiosa, proibiu o menino de fazer aquilo que ele mais gostava, tomar banho no riacho. Mas Frau Frida já tinha um sistema próprio de vaticínios.

— O que esse sonho significa — disse — não é que ele vai se afogar, mas que não deve comer doces.

A interpretação parecia uma infâmia, quando era relacionada a um menino de cinco anos que não podia viver sem suas guloseimas dominicais. A mãe, já convencida das virtudes adivinhatórias da filha, fez a advertência ser respeitada com mão de ferro. Mas ao seu primeiro descuido o menino engasgou com uma bolinha de caramelo que comia escondido, e não foi possível salvá-lo.

Frau Frida não havia pensado que aquela faculdade pudesse ser um ofício, até que a vida agarrou-a pelo pescoço nos cruéis invernos de Viena. Então, bateu para pedir emprego na primeira casa onde achou que viveria com prazer, e quando lhe perguntaram o que sabia fazer, ela disse apenas a verdade: "Sonho." Só precisou de uma breve explicação à dona da casa para ser aceita, com um salário que dava para as despesas miúdas, mas com um bom quarto e três refeições por dia. Principalmente o café da manhã, que era o momento em que a família sentava-se para conhecer o destino imediato de cada um de seus membros: o pai, que era um financista refinado; a mãe, uma mulher alegre e apaixonada por música romântica de câmara, e duas crianças de onze e nove anos. Todos eram religiosos, e portanto propensos às superstições arcaicas, e receberam maravilhados Frau Frida com o compromisso único de decifrar o destino diário da família através dos sonhos.

Fez isso bem e por muito tempo, principalmente nos anos da guerra, quando a realidade foi mais sinistra que os pesadelos. Só ela podia decidir na hora do café da manhã o que cada um deveria fazer naquele dia, e como deveria fazê-lo, até que seus prognósticos acabaram sendo a única autoridade na casa. Seu domínio sobre a família foi absoluto: até mesmo o suspiro mais tênue dependia da sua ordem. Naqueles dias em que estive em Viena o dono da casa havia acabado de morrer, e tivera a elegância de legar a ela uma parte de suas rendas, com a única condição de que continuasse sonhando para a família até o fim de seus sonhos.

Fiquei em Viena mais de um mês, compartilhando os apertos dos estudantes, enquanto esperava um dinheiro que não chegou nunca. As visitas imprevistas e generosas de Frau Frida na taberna eram então como festas em nosso regime de penúrias. Numa daquelas noites, na euforia da cerveja, sussurrou ao meu ouvido com uma convicção que não permitia nenhuma perda de tempo.

— Vim só para te dizer que ontem à noite sonhei com você — disse ela. — Você tem que ir embora já e não voltar a Viena nos próximos cinco anos.

Sua convicção era tão real que naquela mesma noite ela me embarcou no último trem para Roma. Eu fiquei tão sugestionado que desde então me considerei sobrevivente de um desastre que nunca conheci. Ainda não voltei a Viena.

Antes do desastre de Havana havia visto Frau Frida em Barcelona, de maneira tão inesperada e casual que me pareceu misteriosa. Foi no dia em que Pablo Neruda pisou terra espanhola pela primeira vez desde a Guerra Civil, na escala de uma lenta viagem pelo mar até Valparaíso. Passou conosco uma manhã de caça nas livrarias de livros usados, e na *Porter* comprou um livro antigo, desencadernado e murcho, pelo qual pagou o que seria seu salário de dois meses no consulado de Rangum. Movia-se através das pessoas como um elefante inválido, com um interesse infantil pelo mecanismo interno de cada coisa, pois o mundo parecia, para ele, um imenso brinquedo de corda com o qual se inventava a vida.

Não conheci ninguém mais parecido à ideia que a gente tem de um papa renascentista: glutão e refinado. Mesmo contra a sua vontade, sempre presidia a mesa. Matilde, sua esposa, punha nele um babador que mais parecia de barbearia que de restaurante, mas era a única maneira de impedir que se banhasse nos molhos.

Aquele dia, no *Carvalleiras,* foi exemplar. Comeu três lagostas inteiras esquartejando-as com mestria de cirurgião, e ao mesmo tempo devorava com os olhos os pratos de todos, e ia provando um pouco de cada um, com um deleite que contagiava o desejo de comer: as amêijoas da Galícia, os perceves do Cantábrico, os lagostins de Alicante, as *espardenyas* da Costa Brava. Enquanto isso, como os franceses, só falava de outras delícias da cozinha, e em especial dos mariscos pré-históricos do Chile que levava no coração. De repente parou de comer, afinou suas antenas de siri, e me disse em voz muito baixa:

— Tem alguém atrás de mim que não para de me olhar.

Espiei por cima de seu ombro, e era verdade. Às suas costas, três mesas atrás, uma mulher impávida com um antiquado chapéu de feltro e um cachecol roxo, mastigava devagar com os olhos fixos nele. Eu a reconheci no ato. Estava envelhecida e gorda, mas era ela, com o anel de serpente no dedo indicador.

Viajava de Nápoles no mesmo barco que o casal Neruda, mas não tinham se visto a bordo. Convidamos para mulher a tomar café em nossa mesa, e a induzi a falar de seus sonhos para surpreender o poeta. Ele não deu confiança, pois insistiu desde o princípio que não acreditava em adivinhações de sonhos.

— Só a poesia é clarividente — disse.

Depois do almoço, no inevitável passeio pelas Ramblas, fiquei para trás de propósito, com Frau Frida, para poder refrescar nossas lembranças sem ouvidos alheios. Ela me contou que havia vendido suas propriedades na Áustria, e vivia aposentada no Porto, Portugal, numa casa que descreveu como sendo um castelo falso sobre uma colina de onde se via todo o oceano até as Américas. Mesmo sem que ela tenha dito, em sua conversa ficava claro que de sonho em sonho havia terminado por se apoderar da fortuna de seus inefáveis patrões de Viena. Não me impressionou, porém, pois sempre havia pensado que seus sonhos não eram nada além de uma artimanha para viver. E disse isso a ela.

Frau Frida soltou uma gargalhada irresistível. "Você continua o atrevido de sempre", disse. E não falou mais, porque o resto do grupo havia parado para esperar que Neruda acabasse de conversar em gíria chilena com os papagaios da Rambla dos Pássaros. Quando retomamos a conversa, Frau Frida havia mudado de assunto.

— Aliás — disse ela —, você já pode voltar para Viena.

Só então percebi que treze anos haviam transcorrido desde que nos conhecemos.

— Mesmo que seus sonhos sejam falsos, jamais voltarei — disse a ela. — Por via das dúvidas.

Às três, nos separamos dela para acompanhar Neruda à sua sesta sagrada. Foi feita em nossa casa, depois de uns preparativos solenes que de certa forma recordavam a cerimônia do chá no Japão. Era preciso abrir umas janelas e fechar outras para que houvesse o grau de calor exato e uma certa classe de luz em certa direção, e um silêncio absoluto. Neruda dormiu no ato, e despertou dez minutos depois, como as crianças, quando menos esperávamos. Apareceu na sala restaurado e com o monograma do travesseiro impresso na face.

— Sonhei com essa mulher que sonha — disse.

Matilde quis que ele contasse o sonho.

— Sonhei que ela estava sonhando comigo — disse ele.

— Isso é coisa de Borges — comentei.

Ele me olhou desencantado.

— Está escrito?

— Se não estiver, ele vai escrever algum dia — respondi. — Será um de seus labirintos.

Assim que subiu a bordo, às seis da tarde, Neruda despediu-se de nós, sentou-se em uma mesa afastada, e começou a escrever versos fluidos com a caneta de tinta verde com que desenhava flores e peixes e pássaros nas dedicatórias de seus livros. À primeira advertência do navio buscamos Frau Frida, e enfim a encontramos no convés de turistas quando já íamos embora sem nos despedir. Também ela acabava de despertar da sesta.

— Sonhei com o poeta — nos disse.

Assombrado, pedi que me contasse o sonho.

— Sonhei que ele estava sonhando comigo — disse, e minha cara de assombro a espantou. — O que você quer? Às vezes, entre tantos sonhos, infiltra-se algum que não tem nada a ver com a vida real.

Não tornei a vê-la nem a me perguntar por ela até que soube do anel em forma de cobra da mulher que morreu no naufrágio do Hotel Riviera. Portanto não resisti à tentação de fazer algumas perguntas ao embaixador português quando coincidimos, meses depois, em uma recepção diplomática. O embaixador me falou dela com um grande entusiasmo e uma enorme admiração. "O senhor não imagina como ela era extraordinária", me disse. "O senhor não resistiria à tentação de escrever um conto sobre ela." E prosseguiu no mesmo tom, com detalhes surpreendentes, mas sem uma pista que me permitisse uma conclusão final.

— Em termos concretos — perguntei no fim —, o que ela fazia?

— Nada — respondeu ele, com certo desencanto. — Sonhava.

Março de 1980.

“SÓ VIM TELEFONAR”

Numa tarde de chuvas primaveris, quando viajava sozinha para Barcelona dirigindo um automóvel alugado, María de la Luz Cervantes sofreu uma pane no deserto dos Monegros. Era uma mexicana de 27 anos, bonita e séria, que anos antes tivera certo nome como atriz de variedades. Estava casada com um prestidigitador de salão, com quem ia se reunir naquele dia após visitar alguns parentes em Saragoça. Depois de uma hora de sinais desesperados aos automóveis e caminhões que passavam direto pela tormenta, o chofer de um ônibus destrambelhado compadeceu-se dela. Mas avisou que não ia muito longe.

— Não importa — disse María. — Eu só preciso de um telefone.

Era verdade, e só precisava para prevenir seu marido que não chegaria antes das sete da noite. Parecia um passarinho ensopado, com um agasalho de estudante e sapatos de praia em abril, e estava tão atordoada por tudo que esqueceu de levar as chaves do automóvel. Uma mulher que viajava ao lado do chofer, de aspecto militar mas de maneiras doces, deu-lhe uma toalha e uma manta e abriu espaço para ela ao seu lado. Depois de mais ou menos se secar, María sentou-se, enrolou-se na manta e tentou acender um cigarro, mas os fósforos estavam molhados. A vizinha de assento deu-lhe fogo e pediu um cigarro dos poucos que estavam secos. Enquanto fumavam, María cedeu à vontade de desabafar e sua voz soou mais que a chuva e o barulho da lataria do ônibus. A mulher interrompeu-a com o dedo nos lábios.

— Estão dormindo — murmurou.

María olhou por cima do ombro e viu que o ônibus estava ocupado por mulheres de idades incertas e condições diferentes que dormiam enroladas em mantas iguais à dela. Contagiada por sua placidez, María enroscou-se no assento e abandonou-se ao rumor da chuva. Quando despertou era de noite e o aguaceiro havia se dissolvido num sereno gelado. Não tinha a menor ideia de quanto tempo havia dormido nem em que lugar do mundo estavam. Sua vizinha de assento tinha uma atitude alerta.

— Onde estamos? — perguntou María.

— Chegamos — respondeu a mulher.

O ônibus havia entrado no pátio empedrado de um edifício enorme e sombrio que parecia um velho convento num bosque de árvores colossais. As passageiras, iluminadas apenas por um farol do pátio, permaneceram imóveis até que a mulher de aspecto militar as fez descer com um sistema de ordens primárias, como em um jardim de infância. Todas eram mais velhas, e moviam-se com tal parcimônia na penumbra do pátio que pareciam imagens de um sonho. María, a última a descer, pensou que eram freiras. Pensou menos quando viu várias mulheres de uniforme que as receberam na porta do ônibus, e cobriam suas cabeças para que não se molhassem, e as colocavam em fila indiana, dirigindo-as sem falar com elas, com palmas rítmicas e peremptórias. Depois de se despedir de sua vizinha de assento, María quis devolver-lhe a manta, mas ela falou que cobrisse a cabeça para atravessar o pátio e que a devolvesse na portaria.

— Será que lá tem telefone? — perguntou María.

— Claro — disse a mulher. — Lá mesmo eles mostram.

Pediu a María outro cigarro, e ela deu o resto do maço molhado. "No caminho eles secam", disse. A mulher fez adeus com a mão, e quase gritou: "Boa sorte." O ônibus arrancou sem dar tempo para mais nada.

María começou a correr para a entrada do edifício. Uma guarda tentou detê-la batendo palmas enérgicas, mas teve que apelar para um grito imperioso: "Eu disse alto!" María olhou por baixo da manta, e viu uns olhos de gelo e um dedo inapelável indicando a fila. Obedeceu. Já no saguão do edifício separou-se do grupo e perguntou ao porteiro onde havia um telefone. Uma das guardas fez com que ela voltasse para a fila dando-lhe palmadinhas nas costas, enquanto dizia com modos muito suaves:

— Por aqui, gracinha, o telefone é por aqui.

María seguiu com as outras mulheres por um corredor tenebroso, e no final entrou em um dormitório coletivo onde as guardas recolheram as mantas e começaram a repartir as camas. Uma mulher diferente, que María achou mais humana e de hierarquia mais alta, percorreu a fila comparando uma lista com os nomes que as recém-chegadas tinham escrito num cartão costurado no sutiã. Quando chegou na frente de María surpreendeu-se que ela não levasse a identificação.

— É que só vim telefonar — disse María.

Explicou-lhe com muita pressa que seu automóvel havia quebrado na estrada. O marido, que era mago de festas, estava esperando por ela em Barcelona para cumprir três compromissos até a meia-noite, e queria avisá-lo que não chegaria a tempo para acompanhá-lo. Eram quase sete da noite. Ele sairia de casa dentro de dez minutos, e ela temia que cancelasse tudo por causa de seu atraso. A guarda pareceu escutá-la com atenção.

— Como é o seu nome? — perguntou.

María disse como se chamava com um suspiro de alívio, mas a mulher não encontrou seu nome depois de repassar a lista várias vezes. Perguntou alarmada a uma guarda, e esta, sem nada para dizer, sacudiu os ombros.

— É que eu só vim para telefonar — disse María.

— Está bem, beleza — disse a superiora, levando-a até a sua cama com uma doçura demasiado ostensiva para ser real —, se você se portar bem vai poder falar por telefone com quem quiser. Mas agora não, amanhã.

Alguma coisa aconteceu então na mente de María que a fez entender por que as mulheres do ônibus moviam-se como no fundo de um aquário. Na realidade, estavam apaziguadas com sedantes, e aquele palácio em sombras, com grossos muros de pedra e escadarias geladas, era na realidade um hospital de enfermas mentais. Assustada, escapou correndo do dormitório, e antes de chegar ao portão uma guarda gigantesca com um macacão de mecânico agarrou-a com um golpe de tigre e imobilizou-a no chão com uma chave mestra. María olhou-a de viés paralisada de terror.

— Pelo amor de Deus — disse. — Juro pela minha mãe morta que só vim telefonar.

Bastou ver sua cara para saber que não havia súplica possível diante daquela energúmena vestida de mecânico que era chamada de Herculina por sua força descomunal. Era a responsável pelos casos difíceis, e duas reclusas tinham morrido estranguladas com seu braço de urso-polar adestrado na arte de matar por descuido. O primeiro caso foi resolvido como sendo um acidente comprovado. O segundo foi menos claro, e Herculina foi advertida e admoestada de que na próxima vez seria investigada a fundo. A versão corrente era que aquela ovelha desgarrada de uma família de sobrenomes grandes tinha uma turva carreira de acidentes duvidosos em vários manicômios da Espanha.

Para que María dormisse a primeira noite, tiveram que lhe injetar um sonífero. Antes do amanhecer, quando foi despertada pelo desejo de fumar, estava amarrada pelos pulsos e pelos tornozelos nas barras da cama. Ninguém acudiu aos seus gritos. Pela manhã, enquanto o marido não encontrava em Barcelona nenhuma pista de seu paradeiro, tiveram que a levar à enfermaria, pois a encontraram sem sentidos num pântano de suas próprias misérias.

Não soube quanto tempo havia passado quando voltou a si. Mas então o mundo era um remanso de amor, e na frente de sua cama estava um ancião monumental, com um andar de plantígrado e um sorriso sedante, que com dois passes de mestre devolveu-lhe a alegria de viver. Era o diretor do sanatório.

Antes de dizer qualquer coisa, sem ao menos cumprimentá-lo, María pediu um cigarro. Ele deu, aceso, e também o maço quase cheio. María não pôde reprimir o pranto.

— Aproveite para chorar tudo que você quiser — disse o médico, com sua voz adormecedora. — Não existe melhor remédio que as lágrimas.

María desafogou-se sem pudor, como nunca havia conseguido com seus amantes casuais nos tédios de depois do amor. Enquanto a ouvia, o médico a penteava com os dedos, arrumava o travesseiro para que respirasse melhor, a guiava pelo labirinto de sua incerteza com uma sabedoria e uma doçura que ela jamais havia sonhado. Era, pela primeira vez em sua vida, o prodígio de ser compreendida por um homem que a escutava com toda a alma sem esperar a recompensa de levá-la para a cama. Após uma longa hora, desafogada até o fim, pediu-lhe autorização para telefonar para o seu marido.

O médico levantou-se com toda a majestade de seu cargo. "Ainda não, princesa", disse, dando em sua face o tapinha mais terno que ela jamais havia sentido. "Cada coisa tem sua hora." Da porta, fez uma bênção episcopal, e desapareceu para sempre.

— Confie em mim — disse a ela.

Naquela mesma tarde, María foi inscrita no asilo com um número de série, e com um comentário superficial sobre o enigma da sua procedência e as dúvidas sobre sua identidade. Na margem ficou uma qualificação escrita a mão pelo diretor: *agitada.*

Tal como María havia previsto, o marido saiu de seu modesto apartamento do bairro de Horta com meia hora de atraso para cumprir os três compromissos. Era a primeira vez que ela não chegava a tempo em quase dois anos de uma união livre bem combinada, e ele entendeu o atraso pela ferocidade das chuvas que assolaram a província naquele fim de semana. Antes de sair deixou um recado pregado na porta com o itinerário da noite.

Na primeira festa, com todas as crianças disfarçadas de canguru, dispensou o truque-mor dos peixes invisíveis porque não conseguia fazê-lo sem a ajuda dela.

O segundo compromisso era na casa de uma anciã de 93 anos, numa cadeira de rodas, que se vangloriava de haver celebrado cada um dos últimos trinta aniversários com um mago diferente. Ele estava tão contrariado pela demora de María que não conseguiu se concentrar nos passes mais simples. O terceiro compromisso era o de todas as noites num café-concerto das Ramblas, onde atuou sem inspiração para um grupo de turistas franceses que não conseguiram acreditar no que viam porque se negavam a crer na magia. Depois de cada representação telefonou para casa, e esperou sem ilusões que María atendesse. Na última já não pôde reprimir a inquietação de que algo de mau havia acontecido.

De volta para casa na caminhonete adaptada para as funções públicas viu o esplendor da primavera nas palmeiras do Paseo de Gracia, e foi estremecido pelo pensamento funesto de como poderia ser a cidade sem María. A última esperança se desvaneceu quando encontrou seu recado ainda pregado na porta. Estava tão contrariado que esqueceu de dar comida ao gato.

Só agora, ao escrever, percebo que nunca soube como era o nome dele na realidade, porque em Barcelona só o conhecíamos por seu nome profissional: o Mago Saturno. Era um homem de gênio esquisito e com uma inabilidade social irredimível, mas o tato e a graça que nele faziam falta sobravam em María. Era ela quem o guiava pela mão nesta comunidade de grandes mistérios, onde ninguém teria a ideia de ligar para alguém depois da meia-noite perguntando pela própria mulher. Saturno havia feito isso assim quando chegou e não queria recordar. Por isso, naquela noite conformou-se com telefonar para Saragoça, onde uma avó meio adormecida respondeu sem alarma que María havia partido depois do almoço. Não dormiu mais de uma hora ao amanhecer. Teve um sonho de pântano, no qual viu María com um vestido de noiva em farrapos e salpicada de sangue, e despertou com a certeza pavorosa de que havia tornado a deixá-lo sozinho, e agora para sempre, num vasto mundo sem ela.

Havia feito isso três vezes com três homens diferentes, ele inclusive, nos últimos cinco anos. Havia abandonado-o na Cidade do México seis meses depois de conhecê-lo, quando agonizavam de felicidade com um amor demente num quarto do bairro Anzures. Certa manhã, María não amanheceu em casa depois de uma noite de abusos inconfessáveis. Deixou tudo que era dela, inclusive a aliança de seu casamento anterior, e uma carta na qual dizia que não era capaz de sobreviver ao tormento daquele amor desatinado. Saturno pensou que havia voltado ao seu primeiro marido, um condiscípulo da escola secundária com quem se casou às escondidas sendo menor de idade, e a quem abandonou por outro depois de dois anos sem amor. Mas não: havia regressado à casa de seus pais, e lá foi Saturno buscá-la a qualquer preço. Rogou sem condições, prometeu muito mais do que estava decidido a cumprir, mas tropeçou com uma determinação invencível. "Existem amores curtos e amores longos", disse ela. E concluiu sem misericórdia: "Este foi curto." Ele rendeu-se diante de seu rigor. No entanto, certa madrugada de um dia de Todos os Santos, ao voltar para o seu quarto de órfão depois de quase um ano de esquecimento, encontrou-a dormindo no sofá da sala com a coroa de flores de laranjeira e a longa cauda de espuma das noivas virgens.

María contou a verdade. O novo noivo, viúvo, sem filhos, com a vida resolvida e a disposição de se casar para sempre na igreja católica, havia deixado-a vestida de noiva esperando no altar. Seus pais decidiram fazer a festa do mesmo jeito. Ela acompanhou a brincadeira. Dançou, cantou com os *mariachis,* abusou da bebida, e num terrível estado de remorsos tardios foi procurar Saturno à meia-noite.

Ele não estava em casa, mas encontrou as chaves no vaso de flores do corredor, onde sempre as escondera. Daquela vez, foi ela quem se rendeu sem condições. "E agora até quando?", ele perguntou. Ela respondeu com um verso de Vinicius de Moraes: "O amor é eterno enquanto dura." Dois anos depois, continuava sendo eterno.

María pareceu amadurecer. Renunciou a seus sonhos de atriz e consagrou-se a ele, tanto no ofício como na cama. No fim do ano anterior haviam assistido a um congresso de magos em Perpignan, e na volta conheceram Barcelona. Gostaram tanto que estavam ali fazia oito meses, e iam tão bem que haviam comprado um apartamento no bairro muito catalão de Horta, ruidoso e sem porteiro, mas com espaço de sobra para cinco filhos. Havia sido a felicidade possível, até o fim de semana em que ela alugou um automóvel e foi visitar seus parentes de Saragoça com a promessa de voltar às sete da noite da segunda. Ao amanhecer da quinta ainda não dera sinais de vida.

Na segunda-feira da semana seguinte a companhia de seguros do automóvel alugado telefonou para perguntar por María. "Não sei nada", disse Saturno. "Procurem em Saragoça." Desligou. Uma semana depois um guarda civil foi à sua casa com a notícia de que haviam achado o automóvel depenado, num atalho perto de Cádiz, a novecentos quilômetros do lugar em que María o abandonou. O policial queria saber se ela tinha mais detalhes do roubo. Saturno estava dando comida ao gato, e olhou-o apenas para dizer sem mais rodeios que não perdessem tempo, pois sua mulher havia fugido de casa e ele não sabia com quem ou para onde. Era tamanha sua convicção que o policial sentiu-se incomodado e pediu perdão pelas perguntas. O caso foi declarado encerrado.

O receio de que María pudesse ir embora outra vez havia assaltado Saturno na Páscoa em Cadaqués, onde Rosa Regàs os havia convidado para velejar. Estávamos no *Marítim,* o populoso e sórdido bar da *gauche divine* no crepúsculo do franquismo, em volta de uma daquelas mesas de ferro com cadeiras de ferro onde só cabiam a duras penas seis e sentavam vinte. Depois de esgotar o segundo maço de cigarros da jornada María percebeu que não tinha fósforos. Um braço esquálido de pelos viris com uma pulseira de bronze romano abriu caminho através do tumulto da mesa e ofereceu-lhe fogo. Ela agradeceu sem olhar quem era, mas o Mago Saturno viu. Era um adolescente ósseo e lampinho, de uma palidez de morto e um rabo de cavalo de cabelos muito negros que chegavam até a sua cintura. As janelas do bar mal suportavam a fúria da tramontana da primavera, mas ele ia vestido com uma espécie de pijama de usar na rua, de algodão cru, e umas tamancas de lavrador.

Não tornaram a vê-lo até o fim do outono, numa pensão de mariscos de La Barceloneta, com o mesmo conjunto de saraça ordinária e uma longa trança em vez do rabo de cavalo. Cumprimentou os como se fossem velhos amigos, e pelo modo com que beijou María, e pelo modo com que ela correspondeu, Saturno foi fulminado pela suspeita de que haviam andado se encontrando escondidos. Dias depois encontrou por acaso um nome novo e um número de telefone escritos na caderneta doméstica, e a inclemente lucidez dos ciúmes revelou-lhe de quem eram. O prontuário social do intruso acabou de liquidá-lo: 22 anos, filho único de ricos, decorador de vitrines da moda, com uma fama fácil de bissexual e um prestígio bem fundamentado como consolador de aluguel de mulheres casadas. Mas conseguiu superar tudo até a noite em que María não voltou para casa. Então começou a telefonar para ele todos os dias, primeiro a cada duas ou três horas, das seis da manhã até a madrugada seguinte, e depois cada vez que encontrava um telefone. O fato de que ninguém atendesse aumentava o seu martírio.

No quarto dia atendeu uma andaluza, que só ia fazer a faxina. "O sinhôzinho não está", disse, com um jeito vago o suficiente para enlouquecê-lo. Saturno não resistiu à tentação de perguntar se por acaso a senhorita María não estava.

— Aqui não mora nenhuma María — disse a mulher.
— O patrão é solteiro.

— Já sei disso — respondeu ele. — Não mora mas vai às vezes, não é?

A mulher se enfureceu.

— Mas quem está falando, porra?

Saturno desligou. A negativa da mulher pareceu-lhe uma confirmação a mais do que para ele já não era suspeita, era uma certeza ardente. Perdeu o controle. Nos dias seguintes telefonou em ordem alfabética para todos os conhecidos de Barcelona. Ninguém informou nada, mas cada telefonema agravou sua infelicidade, porque seus delírios de ciúmes já eram célebres entre os madrugadores impenitentes da *gauche divine*, que respondiam com qualquer piada que o fizesse sofrer.

Só então compreendeu até que ponto estava sozinho naquela cidade bela, lunática e impenetrável, na qual jamais seria feliz. Pela madrugada, depois de dar comida ao gato, apertou o coração para não morrer, e tomou a determinação de esquecer María.

Depois de dois meses, María ainda não havia se adaptado à vida no sanatório. Sobrevivia mal e mal, comendo quase nada daquela pitança de cárcere com os talheres acorrentados à mesona de madeira bruta, e os olhos fixos na litografia do general Francisco Franco que presidia o lúgubre refeitório medieval. No começo resistia às horas canônicas com sua rotina palerma de matinas, laudes, vésperas, e a outros ofícios da igreja que ocupavam a maior parte do tempo. Negava-se a jogar bola no pátio do recreio e a trabalhar na oficina de flores artificiais que um grupo de reclusas mantinha com uma diligência frenética. Mas na terceira semana foi incorporando-se pouco a pouco à vida do claustro. Afinal, diziam os médicos, todas começavam assim, e cedo ou tarde acabavam integrando-se na comunidade.

A falta de cigarros, resolvida nos primeiros dias por uma vigilante que os vendia a preço de ouro, tornou a atormentá-la quando acabou o pouco dinheiro que trouxera. Consolou-se depois com os cigarros de papel de jornal que algumas reclusas fabricavam com as guimbas recolhidas no lixo, pois a obsessão de fumar havia chegado a ser tão intensa quanto a do telefone.

As pesetas exíguas que ganhou mais tarde fabricando flores artificiais permitiram a ela um alívio efêmero.

O mais duro era a solidão das noites. Muitas reclusas permaneciam despertas na penumbra, como ela, mas sem se atrever a nada, pois a vigilante noturna velava também no portão fechado com corrente e cadeado. Certa noite, porém, abrumada pela tristeza, María perguntou com voz suficiente para que sua vizinha de cama escutasse:

— Aonde estamos?

A voz grave e lúcida da vizinha respondeu:

— Nas profundas do inferno.

— Dizem que esta terra é de mouros — disse outra voz distante que ressoou no dormitório inteiro. — E deve ser mesmo, porque no verão, quando há lua, ouvem-se cães ladrando para o mar.

Ouviu-se uma corrente nas argolas como uma âncora de galeão, e a porta se abriu. A cérbera, o único ser que parecia vivo no silêncio instantâneo começou a passear de um extremo a outro do dormitório. María se assustou, e só ela sabia por quê.

Desde sua primeira semana no sanatório, a vigilante noturna lhe havia proposto sem rodeios que dormisse com ela no quarto de guarda. Começou com um tom de negócio concreto: troca de amor por cigarros, por chocolates, pelo que fosse. "Você vai ter de tudo", dizia, trêmula. "Você vai ser a rainha." Diante da recusa de María, a guarda mudou de método. Deixava papeizinhos de amor debaixo do travesseiro, nos bolsos do roupão, nos lugares menos imaginados. Eram mensagens de uma aflição dilacerante capaz de estremecer as pedras. Fazia mais de um mês que parecia resignada à derrota, na noite em que ocorreu o incidente no dormitório.

Quando se convenceu de que todas as reclusas dormiam, a guarda aproximou-se da cama de María, e murmurou em seu ouvido todo tipo de obscenidades ternas, enquanto beijava sua cara, o pescoço tenso de terror, os braços tesos, as pernas exaustas. No fim, achando talvez que a paralisia de María não era de medo e sim de complacência, atreveu-se a ir mais longe. María deu-lhe então um golpe com as costas da mão que mandou-a contra a cama vizinha. A guarda levantou-se furibunda no meio do escândalo das reclusas alvoroçadas.

— Filha da puta — gritou. — Vamos apodrecer juntas neste chiqueiro até que você fique louca por mim.

O verão chegou sem se anunciar no primeiro domingo de junho, e foi preciso tomar medidas de emergência, porque as reclusas sufocadas começavam a tirar durante a missa as batinas de lã. María assistiu divertida ao espetáculo das enfermas peladas que as guardas tocavam pelas naves da capela como se fossem galinhas cegas. No meio da confusão, tratou de se proteger dos golpes perdidos, e sem saber como encontrou-se sozinha no escritório abandonado, e com um telefone que tocava sem cessar com uma campainha de súplica. María respondeu sem pensar, e ouviu uma voz distante e sorridente que se distraía imitando o serviço de hora certa:

— São quarenta e cinco horas, noventa e dois minutos e cento e sete segundos.

— Veado — disse María.

Desligou divertida. Já ia embora, quando percebeu que estava deixando escapar uma ocasião irrepetível. Então discou seis números, com tanta tensão e tanta pressa, que não teve certeza de ser o número de sua casa. Esperou com o coração na boca, ouviu a campainha familiar com seu tom ávido e triste, uma vez, duas vezes, três vezes, e ouviu enfim a voz do homem de sua vida na casa sem ela.

— Alô?

Precisou esperar que passasse a bola de lágrimas que se formou na sua garganta.

— Coelho, minha vida — suspirou.

As lágrimas a venceram. Do outro lado da linha houve um breve silêncio de espanto, e a voz ensandecida pelos ciúmes cuspiu a palavra:

— Puta!

E desligou.

Naquela noite, num ataque frenético, María tirou da parede do refeitório a litografia do generalíssimo, arrojou-a com todas as suas forças contra o vitral do jardim, e desmoronou banhada em sangue. Ainda lhe sobrou raiva para enfrentar na porrada as guardas que tentaram dominá-la, sem conseguir, até que viu Herculina plantada no vão da porta, com os braços cruzados, olhando para ela. Rendeu-se. Ainda assim, foi arrastada até o pavilhão das loucas perigosas, foi aniquilada com uma mangueira de água gelada, e injetaram terebintina em suas pernas. Impedida de caminhar por causa da inflamação provocada, María percebeu que não havia nada no mundo que não fosse capaz de fazer para escapar daquele inferno. Na semana seguinte, já de regresso ao dormitório comum, levantou-se na ponta dos pés e bateu na cela da guarda da noite.

O preço de María, exigido de antemão, foi levar um recado ao seu marido. A guarda aceitou, sempre que o trato fosse mantido no mais absoluto segredo. E apontou-lhe com um dedo inexorável.

— Se alguma vez alguém souber, você morre.

Desta forma o Mago Saturno foi parar no sanatório de loucas no sábado seguinte, com a caminhonete de circo preparada para celebrar o regresso de María. O diretor o recebeu em pessoa no seu escritório, tão limpo e arrumado quanto um barco de guerra, e fez um relatório afetuoso sobre o estado de sua esposa. Ninguém sabia de onde chegou, nem como nem quando, pois a primeira informação sobre sua entrada era o registro oficial ditado por ele mesmo quando a entrevistou. Uma investigação iniciada no mesmo dia não dera em nada. Porém, o que mais intrigava o diretor era como Saturno soube do paradeiro de sua esposa. Saturno protegeu a guarda.

— A companhia de seguros do automóvel me informou — disse.

O diretor concordou satisfeito. "Não sei como o seguro faz para saber tudo", disse. Deu uma olhada no expediente que tinha sobre sua escrivaninha de asceta, e concluiu:

— A única certeza é que seu estado é grave.

Estava disposto a autorizar uma visita com as devidas precauções se o Mago Saturno prometesse, pelo bem de sua esposa, restringir-se à conduta que ele indicasse. Sobretudo na maneira de tratá-la, para evitar que recaísse em seus acessos de fúria cada vez mais frequentes e perigosos.

— Que esquisito — disse Saturno. — Sempre foi de gênio forte, mas de muito domínio.

O médico fez um gesto de sábio. "Há condutas que permanecem latentes durante muitos anos, e um dia explodem", disse. "Porém, é uma sorte que tenha caído aqui, porque somos especialistas em casos que requerem mão forte." No final, fez uma advertência sobre a estranha obsessão de María pelos telefones.

— Deixe-a falar — disse.

— Fique tranquilo, doutor — disse Saturno com ar alegre. — É a minha especialidade.

A sala de visitas, mistura de cárcere e confessionário, era o antigo locutório do convento. A entrada de Saturno não foi a explosão de júbilo que ambos poderiam esperar. María estava de pé no centro do salão, junto a uma mesinha com duas cadeiras e um vaso sem flores. Era evidente que estava pronta para ir embora, com seu lamentável casaco cor de morango e sapatos sórdidos que havia ganho de esmola. Num canto, quase invisível, estava Herculina com os braços cruzados. María não se moveu ao ver o marido entrar nem mostrou emoção alguma na cara ainda salpicada pelos estragos do vitral. Deram um beijo de rotina.

— Como você se sente? — perguntou ele.

— Feliz por você enfim ter vindo, coelho — disse ela. — Isto foi a morte.

Não tiveram tempo de sentar-se. Afogando-se em lágrimas, María contou as misérias do claustro, a barbárie das guardas, a comida de cachorro, as noites intermináveis sem fechar os olhos de terror.

— Já nem sei há quantos dias estou aqui, ou meses ou anos, mas sei que cada um foi pior que o outro — disse, e suspirou com a alma. — Acho que nunca voltarei a ser a mesma.

— Agora tudo isso passou — disse ele, acariciando com os dedos as cicatrizes recentes de sua cara. — Eu continuarei a vir todos os sábados. E até mais, se o diretor permitir. Você vai ver como tudo dará certo.

Ela fixou nos olhos dele seus olhos aterrorizados. Saturno tentou suas artes de salão. Contou, no tom pueril das grandes mentiras, uma versão adocicada dos prognósticos do médico. "Em resumo", concluiu, "ainda faltam alguns dias para você estar recuperada de vez." María entendeu a verdade.

— Por Deus, coelho! — disse, atônita. — Não me diga que você também acha que estou louca!

— Nem pense nisso! — disse ele, tratando de rir. — Acontece que será muito mais conveniente para todos que você fique aqui algum tempo. Em melhores condições, é claro.

— Mas se eu já te disse que só vim telefonar! — falou María.

Ele não soube como reagir à obsessão temível. Olhou para Herculina. Ela aproveitou a olhada para indicar em seu relógio de pulso que estava na hora de terminar a visita. María interceptou o sinal, olhou para trás, e viu Herculina na tensão do assalto iminente. Então agarrou-se no pescoço do marido gritando como uma verdadeira louca. Ele safou-se com todo o amor que pôde, e deixou-a à mercê de Herculina, que saltou sobre suas costas. Sem dar-lhe tempo para reagir, aplicou em María uma chave com a mão esquerda, passou o outro braço de ferro em volta de seu pescoço, e gritou para o Mago Saturno:

— Vá embora!

Saturno fugiu apavorado.

Ainda assim, no sábado seguinte, já recuperado do espanto da visita, voltou ao sanatório com o gato vestido como ele: a malha vermelha e amarela do grande Leotardo, o chapéu de copa e uma capa de volta e meia que parecia feita para voar. Entrou com a caminhonete de feira até o pátio do claustro, e ali fez uma função prodigiosa de quase três horas que todas as reclusas desfrutaram dos balcões, com gritos discordantes e ovações inoportunas. Estavam todas, menos María, que não só se negou a receber o marido, como sequer quis vê-lo dos balcões. Saturno sentiu-se ferido de morte.

— É uma reação típica — consolou o diretor. — Já passa.

Mas não passou nunca. Depois de tentar muitas vezes ver María de novo, Saturno fez o impossível para que recebesse uma carta, mas foi inútil. Quatro vezes devolveu-a fechada e sem comentários. Saturno desistiu, mas continuou deixando na portaria do hospital as rações de cigarros, sem ao menos saber se chegavam a María, até que a realidade o venceu.

Nunca mais se soube dele, exceto que tornou a se casar e que voltou ao seu país. Antes de ir embora de Barcelona deixou o gato meio morto de fome com uma namoradinha casual, que além disso se comprometeu a continuar levando cigarros para María. Mas também ela desapareceu. Rosa Regàs recordava ter visto a moça no Corte Inglês, há uns doze anos, com a cabeça rapada e a túnica alaranjada de alguma seita oriental, grávida até não poder mais. Ela contou-lhe que continuara levando cigarros para María, sempre que pôde, e resolvendo para ela algumas urgências imprevistas, até o dia em que só encontrou os escombros do hospital, demolido como uma lembrança ruim daqueles tempos ingratos. María pareceu-lhe muito lúcida na última vez em que a viu, um pouco acima do peso e contente com a paz do claustro. Naquele dia, levou-lhe também o gato, porque havia acabado o dinheiro que Saturno deixou para a comida.

Abril de 1978.

ASSOMBRAÇÕES DE AGOSTO

Chegamos a Arezzo pouco antes do meio-dia, e perdemos mais de duas horas buscando o castelo renascentista que o escritor venezuelano Miguel Otero Silva havia comprado naquele rincão idílico da planície toscana. Era um domingo de princípios de agosto, ardente e buliçoso, e não era fácil encontrar alguém que soubesse alguma coisa nas ruas abarrotadas de turistas. Após muitas tentativas inúteis voltamos ao automóvel, abandonamos a cidade por uma trilha de ciprestes sem indicações viárias, e uma velha pastora de gansos indicou-nos com precisão onde estava o castelo. Antes de se despedir, perguntou-nos se pensávamos dormir por lá, e respondemos, pois era o que tínhamos planejado, que só íamos almoçar.

— Ainda bem — disse ela —, porque a casa é assombrada.

Minha esposa e eu, que não acreditamos em aparições de meio-dia, debochamos de sua credulidade. Mas nossos dois filhos, de nove e sete anos, ficaram alvoroçados com a ideia de conhecer um fantasma em pessoa.

Miguel Otero Silva, que além de bom escritor era um anfitrião esplêndido e um comilão refinado, nos esperava com um almoço de nunca esquecer. Como havia ficado tarde não tivemos tempo de conhecer o interior do castelo antes de sentarmos à mesa, mas seu aspecto visto de fora não tinha nada de pavoroso, e qualquer inquietação se dissipava com a visão completa da cidade vista do terraço florido onde almoçávamos. Era difícil acreditar que naquela colina de casas empoleiradas, onde mal cabiam noventa mil pessoas, houvessem nascido tantos homens de gênio perdurável. Ainda assim, Miguel Otero Silva nos disse com seu humor caribenho que nenhum de tantos era o mais insigne de Arezzo.

— O maior — sentenciou — foi Ludovico.

Assim, sem sobrenome: Ludovico, o grande senhor das artes e da guerra, que havia construído aquele castelo de sua desgraça, e de quem Miguel Otero nos falou durante o almoço inteiro. Falou-nos de seu poder imenso, de seu amor contrariado e de sua morte espantosa. Contou-nos como foi que num instante de loucura do coração havia apunhalado sua dama no leito onde tinham acabado de se amar, e depois atiçou contra si mesmo seus ferozes cães de guerra que o despedaçaram a dentadas. Garantiu-nos, muito a sério, que a partir da meia-noite o espectro de Ludovico perambulava pela casa em trevas tentando conseguir sossego em seu purgatório de amor.

O castelo, na realidade, era imenso e sombrio. Mas em pleno dia, com o estômago cheio e o coração contente, o relato de Miguel só podia parecer outra de suas tantas brincadeiras para entreter seus convidados. Os 82 quartos que percorremos sem assombro depois da sesta tinham padecido de todo tipo de mudanças graças aos seus donos sucessivos. Miguel havia restaurado por completo o primeiro andar e tinha construído para si um dormitório moderno com piso de mármore e instalações para sauna e cultura física, e o terraço de flores imensas onde havíamos almoçado. O segundo andar, que tinha sido o mais usado no curso dos séculos, era uma sucessão de quartos sem nenhuma personalidade, com móveis de diferentes épocas abandonados à própria sorte. Mas no último andar era conservado um quarto intacto por onde o tempo tinha esquecido de passar. Era o dormitório de Ludovico.

Foi um instante mágico. Lá estava a cama de cortinas bordadas com fios de ouro, e o cobre-leito de prodígios de passamanarias ainda enrugado pelo sangue seco da amante sacrificada. Estava a lareira com as cinzas geladas e o último tronco de lenha convertido em pedra, o armário com suas armas bem escovadas, e o retrato a óleo do cavalheiro pensativo numa moldura de ouro, pintado por algum dos mestres florentinos que não teve a sorte de sobreviver ao seu tempo. No entanto, o que mais me impressionou foi o perfume de morangos recentes que permanecia estancado sem explicação possível no ambiente do dormitório.

Os dias de verão são longos e parcimoniosos na Toscana, e o horizonte se mantém em seu lugar até as nove da noite. Quando terminamos de conhecer o castelo eram mais de cinco da tarde, mas Miguel insistiu em levar-nos para ver os afrescos de Piero della Francesca na Igreja de São Francisco, depois tomamos um café com muita conversa debaixo das pérgulas da praça, e quando regressamos para buscar as maletas encontramos a mesa posta. Portanto, ficamos para jantar.

Enquanto jantávamos, debaixo de um céu de malva com uma única estrela, as crianças acenderam algumas tochas na cozinha e foram explorar as trevas nos andares altos. Da mesa ouvíamos seus galopes de cavalos errantes pelas escadarias, os lamentos das portas, os gritos felizes chamando Ludovico nos quartos tenebrosos. Foi deles a má ideia de ficarmos para dormir. Miguel Otero Silva apoiou-os encantado, e nós não tivemos a coragem civil de dizer que não.

Ao contrário do que eu temia, dormimos muito bem, minha esposa e eu num dormitório do andar térreo e meus filhos no quarto contíguo. Ambos haviam sido modernizados e não tinham nada de tenebrosos. Enquanto tentava conseguir sono contei os doze toques insones do relógio de pêndulo da sala e recordei a advertência pavorosa da pastora de gansos.

Mas estávamos tão cansados que dormimos logo, num sono denso e contínuo, e despertei depois das sete com um sol esplêndido entre as trepadeiras da janela. Ao meu lado, minha esposa navegava no mar aprazível dos inocentes. "Que bobagem", disse a mim mesmo, "alguém continuar acreditando em fantasmas nestes tempos." Só então estremeci com o perfume de morangos recém-cortados, e vi a lareira com as cinzas frias e a última lenha convertida em pedra, e o retrato do cavalheiro triste que nos olhava há três séculos por trás na moldura de ouro. Pois não estávamos na alcova do térreo onde havíamos deitado na noite anterior, e sim no dormitório de Ludovico, debaixo do dossel e das cortinas empoeiradas e dos lençóis empapados de sangue ainda quente de sua cama maldita.

Outubro de 1980.

MARIA DOS PRAZERES

O homem da agência funerária chegou tão pontual que Maria dos Prazeres ainda estava de roupão de banho e com a cabeça cheia de bobes, e mal teve tempo de pôr uma rosa vermelha na orelha para não parecer tão indesejável como se sentia. Lamentou ainda mais seu estado quando abriu a porta e viu que não era um tabelião lúgubre, como supunha que deveriam ser os comerciantes da morte, e sim um jovem tímido com um paletó quadriculado e uma gravata com pássaros coloridos. Não vestia sobretudo, apesar da primavera incerta de Barcelona, cujo chuvisco de ventos enviesados fazia quase sempre com que fosse menos tolerável que o inverno. Maria dos Prazeres, que havia recebido tantos homens a qualquer hora, sentiu-se envergonhada como muito poucas vezes. Acabava de completar 76 anos e estava convencida de que ia morrer antes do Natal, e ainda assim esteve a ponto de fechar a porta e pedir ao vendedor de enterros que esperasse um instante enquanto se vestia para recebê-lo de acordo com seus méritos. Mas depois pensou que ele iria congelar no vestíbulo escuro e o fez entrar.

— Perdoe essa cara de morcego — disse —, mas estou há mais de cinquenta anos na Catalunha e é a primeira vez que alguém chega na hora anunciada.

Falava um catalão perfeito com uma pureza um pouco arcaica, embora ainda se notasse a música de seu português esquecido. Apesar de seus anos e seus cachos de arame continuava sendo uma mulata esbelta e vivaz, de cabelo duro e olhos amarelos e ferozes, e já fazia muito tempo que havia perdido a compaixão pelos homens. O vendedor, deslumbrado ainda pela claridade da rua, não fez nenhum comentário, apenas limpou as solas do sapato na esteirinha de juta e beijou a mão dela com reverência.

— Você é um homem como os dos meus tempos — disse Maria dos Prazeres com uma gargalhada de granizo. — Senta aí.

Embora fosse novo no ofício, ele o conhecia o suficiente para não esperar aquela recepção festiva às oito da manhã, e menos ainda de uma anciã sem misericórdia que à primeira vista lhe pareceu uma louca fugitiva das Américas. Assim, permaneceu a um passo da porta sem saber o que dizer, enquanto Maria dos Prazeres abria as grossas cortinas de pelúcia das janelas. O tênue resplendor de abril iluminou um pouco o ambiente meticuloso da sala que mais parecia a vitrine de um antiquário. Eram coisas de uso cotidiano, nem uma a mais, nem uma a menos, e cada uma parecia posta em seu espaço natural, e com um gosto tão certeiro que teria sido difícil encontrar outra casa mais bem servida, mesmo numa cidade tão antiga e secreta como Barcelona.

— Perdão — disse. — Enganei-me de porta.

— Oxalá — disse ela —, mas a morte não se engana.

O vendedor abriu sobre a mesa de jantar um gráfico cheio de dobras como uma carta de navegar com parcelas de cores diversas e numerosas cruzes e cifras em cada cor. Maria dos Prazeres compreendeu que era o plano completo do imenso panteão de Montjuich, e lembrou com um horror muito antigo do cemitério de Manaus debaixo dos aguaceiros de outubro, onde chafurdavam as antas entre os túmulos sem nomes e mausoléus de aventureiros com vitrais florentinos. Certa manhã, sendo muito menina, o Amazonas transbordado amanheceu convertido num pântano nauseabundo, e ela havia visto os ataúdes rachados flutuando no quintal da sua casa com pedaços de trapos e cabelos de mortos nas rachaduras. Aquela recordação era a causa de que tivesse escolhido o morro de Montjuich para descansar em paz, e não o pequeno cemitério de San Gervasio, tão próximo e familiar.

— Quero um lugar onde as águas não cheguem nunca — disse.

— Pois aqui está — disse o vendedor, indicando o lugar no mapa com um apontador extensível que levava no bolso como uma esferográfica de aço. — Não há mar que suba tanto.

Ela se orientou no tabuleiro de cores até encontrar a entrada principal, onde estavam as três tumbas contíguas, idênticas e sem nome, onde jaziam Buenaventura Durruti e outros dois dirigentes anarquistas mortos na Guerra Civil. Todas as noites alguém escrevia os nomes nas lápides em branco. Escreviam com lápis, com tinta, com carvão, com lápis de sobrancelha ou esmalte de unhas, com todas as suas letras e na ordem correta, e todas as manhãs os zeladores os apagavam para que ninguém soubesse quem era quem debaixo dos mármores mudos. Maria dos Prazeres havia assistido ao enterro de Durruti, o mais triste e tumultuado de todos os que ocorreram em Barcelona, e queria repousar perto de sua tumba. Mas não havia nenhuma disponível no vasto panteão agora superpovoado. Assim, resignou-se com o possível. "Com a condição", disse, "de que não me metam numa dessas gavetas de cinco anos, onde a gente fica que nem no correio." Depois, recordando de repente o requisito essencial, concluiu:

— E, principalmente, que me enterrem deitada.

Na verdade, como réplica à ruidosa promoção de tumbas vendidas em prestações antecipadas, circulava o rumor de que estavam enterrando gente em pé, para economizar espaço. O vendedor explicou, com a precisão de um discurso decorado, e muitas vezes repetido, que essa versão era uma infâmia perversa das empresas funerárias tradicionais para desacreditar a novidade da promoção de tumbas a prestação. Enquanto explicava, bateram na porta com três golpezinhos discretos, e ele fez uma pausa incerta, mas Maria dos Prazeres indicou que continuasse.

— Não se preocupe — disse em voz muito baixa. — É o Noi.

O vendedor retomou o fio, e Maria dos Prazeres ficou satisfeita com a explicação. No entanto, antes de abrir a porta quis fazer uma síntese final de um pensamento que havia amadurecido em seu coração durante muitos anos, e até em seus pormenores mais íntimos, desde a lendária enchente de Manaus.

— O que quero dizer — disse — é que procuro um lugar no qual esteja deitada debaixo da terra, sem riscos de inundações e se for possível à sombra das árvores no verão, e de onde não vão me tirar depois de um certo tempo para me jogar no lixo.

Abriu a porta da rua e entrou um cãozinho empapado pela chuvinha fina, e com um aspecto perdulário que não tinha nada a ver com o resto da casa. Regressava de seu passeio matinal pela vizinhança, e ao entrar sofreu um arrebato de alvoroço. Saltou sobre a mesa latindo sem sentido e quase estropiou o mapa do cemitério com as patas sujas de barro. Um único olhar da dona foi suficiente para moderar seus ímpetos.

— Noi! — disse a ele sem gritar. — *Baixa d'acíl*

O animal se encolheu, olhou-a assustado, e um par de lágrimas nítidas resvalou por seu focinho. Então Maria dos Prazeres tornou a se ocupar do vendedor e encontrou-o perplexo.

— *Collons!* — exclamou ele. — Chorou!

— É que ficou alvoroçado por encontrar alguém aqui a esta hora — desculpou Maria dos Prazeres em voz baixa. — Em geral, entra na casa com mais cuidado que os homens. Exceto você, como já notei.

— Mas ele chorou, caralho! — repetiu o vendedor, e de imediato percebeu sua incorreção e desculpou-se, ruborizado: — A senhora me perdoe, mas é que não vi isto nem no cinema.

— Todos os cães podem fazer isso se forem ensinados — disse ela. — Acontece que os donos passam a vida educando os cachorros com hábitos que os fazem sofrer, como comer em pratos ou fazer suas porcarias na hora certa e no mesmo lugar. E, em compensação, não ensinam as coisas naturais das quais eles gostam, como rir e chorar. Mas aonde estávamos?

Faltava muito pouco. Maria dos Prazeres teve que se resignar também aos verões sem árvores, porque as únicas que havia no cemitério tinham suas sombras reservadas aos hierarcas do regime. As condições e as fórmulas do contrato, no entanto, eram supérfluas, porque ela queria se beneficiar do desconto por pagamento antecipado e à vista.

Só quando haviam terminado, e enquanto guardava outra vez os papéis na pasta, o vendedor examinou a casa com um olhar consciente e estremeceu com o hálito mágico de sua beleza. Tornou a olhar Maria dos Prazeres como se fosse a primeira vez.

— Posso fazer uma pergunta indiscreta? — perguntou.

Ela levou-o até a porta.

— Claro — disse —, desde que não seja a minha idade.

— Tenho a mania de adivinhar o ofício das pessoas pelas coisas que estão em suas casas, e aqui, para ser franco, não consigo — disse ele. — O que a senhora faz?

Maria dos Prazeres respondeu morrendo de rir:

— Sou puta, filho. Ou já não dá mais para notar?

O vendedor ficou vermelho.

— Sinto muito.

— Eu é que devia sentir — disse ela, tomando-o pelo braço para impedir que se esborrachasse contra a porta. — E toma cuidado! Não vá se arrebentar antes de me enterrar direitinho.

Assim que fechou a porta, pegou o cãozinho e começou a limpá-lo, e somou sua bela voz africana aos coros infantis que naquele momento começavam a se ouvir na escola vizinha. Três meses antes havia tido em sonhos a revelação de que ia morrer, e desde então sentiu-se mais ligada que nunca àquela criatura da sua solidão. Havia previsto com tanto cuidado a partilha póstuma de suas coisas e o destino de seu corpo, que naquele instante poderia morrer sem estorvar ninguém. Tinha se aposentado por vontade própria com uma fortuna entesourada pedra sobre pedra mas sem sacrifícios demasiado amargos, e havia escolhido como refúgio final o muito antigo e nobre povoado de Gràcia, já digerido pela expansão da cidade. Havia comprado o apartamento em ruínas, sempre cheirando a arenques defumados, cujas paredes carcomidas pelo salitre ainda conservavam os impactos de algum combate sem glória. Não havia porteiro, e nas escadas úmidas e tenebrosas faltavam alguns degraus, embora todos os andares estivessem ocupados. Maria dos Prazeres mandou reformar o banheiro e a cozinha, forrou as paredes com cortinados de cores alegres e pôs vidros bisotados e cortinas de veludo nas janelas. Por último, levou os móveis primorosos, as coisas de serviço e decoração e os arcões de sedas e brocados que os fascistas roubavam das residências abandonadas pelos republicanos na debandada da derrota e que ela tinha ido comprando aos poucos, durante muitos anos, a preço de ocasião e em leilões secretos. O único vínculo que restou com o passado foi sua amizade com o conde de Cardona, que continuou visitando-a na última sexta-feira de cada mês para jantar com ela e fazer um lânguido amor de sobremesa. Mas mesmo aquela amizade da juventude se manteve na reserva, pois o conde deixava seu automóvel com as insígnias heráldicas a uma distância mais que prudente e chegava até o apartamento caminhando pela sombra, tanto para proteger a sua honra como a dela própria Maria dos Prazeres não conhecia ninguém naquele edifício, onde morava num apartamento que ficava na sobreloja, a não ser os da porta em frente à sua, onde morava fazia pouco tempo um casal muito jovem com uma menina de nove anos. Achava incrível, mas era verdade, que nunca tivesse encontrado ninguém nas escadas.

Mesmo assim, a divisão de sua herança demonstrou que estava mais implantada do que ela mesma supunha naquela comunidade de catalães crus cuja honra nacional se fundava no pudor. Até as bijuterias mais insignificantes ela havia dividido entre as pessoas que estavam mais perto de seu coração, que eram as que estavam mais próximas de sua casa. No final não se sentia muito convencida de haver sido justa, mas estava, em compensação, segura de não ter esquecido ninguém que não merecesse. Foi um ato preparado com tanto rigor que o tabelião da rua da Árvore, que se prezava de ter visto tudo, não podia acreditar em seus próprios olhos quando a viu ditando de memória aos seus amanuenses a lista minuciosa de seus bens, com o nome preciso de cada coisa em catalão medieval, e a lista completa dos herdeiros com seus endereços e profissões, e o lugar que ocupavam em seu coração.

Depois da visita do vendedor de enterros ela terminou por converter-se em mais um dos numerosos visitantes dominicais do cemitério. A exemplo de seus vizinhos de túmulo semeou flores de quatro estações em seus canteiros, regava a grama recém-nascida e a igualava com a tesoura de podar até deixá-la como os tapetes da prefeitura, e familiarizou-se tanto com o lugar que acabou não entendendo como foi que no começo achava-o tão desolado.

Em sua primeira visita, o coração tinha dado um salto quando viu junto ao portal os três túmulos sem nome, e nem se deteve para olhá-los, porque a poucos passos dela estava o vigilante insone. Mas no terceiro domingo aproveitou um descuido para cumprir outro de seus grandes sonhos, e com o batom escreveu na primeira lápide lavada pela chuva: *Durruti*. Desde então, sempre que pôde tornou a fazer isso, às vezes numa tumba, em duas ou nas três, e sempre com o pulso firme e o coração alvoroçado pela nostalgia.

Num domingo do fim de setembro presenciou o primeiro enterro na colina. Três semanas depois, numa tarde de ventos gelados, enterraram uma jovem recém-casada na tumba vizinha à dela. No fim do ano, sete terrenos estavam ocupados, mas o inverno efêmero passou sem alterá-la. Não sentia nenhum mal-estar, e à medida que aumentava o calor e entrava o ruído torrencial da vida pelas janelas abertas, encontrava-se com mais ânimo para sobreviver aos enigmas de seus sonhos. O conde de Cardona, que passava na montanha os meses de mais calor, encontrou-a em seu regresso mais atrativa ainda que na sua surpreendente juventude dos cinquenta anos.

Após muitas tentativas frustradas, Maria dos Prazeres conseguiu que Noi distinguisse sua tumba na extensa colina de tumbas iguais. Depois se empenhou em ensiná-lo a chorar sobre a sepultura vazia para que continuasse a fazer isso por costume após a sua morte. Levou-o várias vezes a pé da casa para o cemitério, para que memorizasse a rota do ônibus das Ramblas, até que o sentiu bastante treinado para mandá-lo sozinho.

No domingo do ensaio final, às três da tarde, tirou do cãozinho o colete de primavera, em parte porque o verão era iminente e em parte para que chamasse menos a atenção, e deixou-o por sua conta. Viu como ele se afastava pela calçada de sombra com um trote ligeiro e o cuzinho apertado e triste debaixo da cauda alvoroçada, e conseguiu a duras penas reprimir os desejos de chorar, por ela e por ele, e por tantos e tão amargos anos de ilusões comuns, até que o viu dobrar rumo ao mar pela esquina da Calle Mayor. Quinze minutos mais tarde subiu no ônibus das Ramblas na vizinha praça de Lesseps, tentando enxergá-lo sem ser vista pela janela, e enfim conseguiu vê-lo entre as molecagens dos meninos dominicais, distante e sério, esperando o sinal de pedestres do Paseo de Gràcia.

"Meu Deus", suspirou. "Parece tão sozinho."

Teve que esperá-lo quase duas horas debaixo do sol brutal de Montjuich. Cumprimentou várias pessoas de outros domingos menos memoráveis, embora mal as tenha reconhecido, pois havia passado tanto tempo desde que as viu pela primeira vez, que já não estavam com roupas de luto, nem choravam, e punham as flores sobre as tumbas sem pensar em seus mortos. Pouco depois, quando todos foram embora, ouviu um bramido lúgubre que espantou as gaivotas, e viu no mar imenso um transatlântico branco com a bandeira do Brasil, e desejou com toda a sua alma que ele trouxesse uma carta de alguém que tivesse morrido por ela no cárcere de Pernambuco. Pouco depois das cinco, com doze minutos de antecipação, apareceu Noi na colina, babando de fadiga e de calor, mas com ares de menino triunfante. Naquele momento, Maria dos Prazeres superou o terror de não ter ninguém que chorasse em sua tumba.

Foi no outono seguinte que começou a perceber signos funestos que não conseguia decifrar, mas que aumentaram o peso de seu coração. Tornou a tomar café debaixo das acácias douradas da Plaza del Reloj com o casaco de gola de caudas de raposa e o chapéu com adorno de flores artificiais que de tão antigo tinha voltado à moda. Aguçou o instinto. Tentando explicar a si própria a sua ansiedade sondou a tagarelice das vendedoras de pássaros das Ramblas, os sussurros dos homens nas bancas de livros que pela primeira vez em muitos anos não falavam de futebol, os fundos silêncios dos mutilados de guerra que jogavam migalhas de pão para os pombos, e em todas as partes encontrou sinais inequívocos da morte. No Natal acenderam-se as luzes de cores entre as acácias, e saíam músicas e vozes de júbilo dos balcões, e uma multidão de turistas alheios ao nosso destino invadiu os cafés ao ar livre, mas mesmo dentro da festa sentia-se a mesma tensão reprimida que precedeu os tempos em que os anarquistas se fizeram donos da rua. Maria dos Prazeres, que havia vivido aquela época de grandes paixões, não conseguia dominar a inquietação, e pela primeira vez foi despertada na metade de um sonho por golpes de pavor. Uma noite, agentes da Segurança do Estado assassinaram a tiros na frente de sua janela um estudante que havia escrito no muro: *Visca Catalunya lliure.*

"Meu Deus", falou a si própria, assombrada, "é como se tudo estivesse morrendo comigo!"

Só havia conhecido uma ansiedade semelhante quando era muito pequena em Manaus, um minuto antes do amanhecer, quando os ruídos numerosos da noite cessavam de repente, as águas se detinham, o tempo titubeava, e a selva amazônica mergulhava num silêncio abismal que só podia ser igual ao da morte. No meio daquela tensão irresistível, na última sexta-feira de abril, como sempre, o conde de Cardona foi comer em sua casa.

A visita havia se convertido num ritual. O conde chegava pontual entre as sete e as nove da noite com uma garrafa de champanha do país embrulhada no jornal da tarde para que não se notasse tanto, e uma caixa de trufas recheadas. Maria dos Prazeres preparava canelones gratinados e um frango macio feito em seu próprio suco, que eram os pratos favoritos dos catalães de estirpe de seus bons tempos, e uma travessa sortida de frutas da estação. Enquanto ela fazia a cozinha, o conde escutava no gramofone fragmentos de óperas italianas em versões históricas, tomando aos poucos uma tacinha de vinho do Porto que durava até o final dos discos.

Depois do jantar, longo e bem conversado, faziam de cor um amor sedentário que deixava, nos dois, um sedimento de desastre. Antes de ir embora, sempre sobressaltado pela iminência da meia-noite, o conde deixava 25 pesetas debaixo do cinzeiro do dormitório. Esse era o preço de Maria dos Prazeres quando ele a conheceu num hotel do Paralelo, e era a única coisa que o óxido do tempo havia deixado intacta.

Nenhum dos dois havia se perguntado nunca em que se fundava essa amizade. Maria dos Prazeres devia ao conde alguns favores fáceis. Ele dava a ela conselhos oportunos para o bom manejo de suas economias, havia ensinado a ela como distinguir o valor real de suas relíquias e o modo de tê-las sem que ninguém descobrisse que eram coisas roubadas. Mas, acima de tudo, foi ele quem lhe indicou o caminho de uma velhice decente no bairro de Gràcia, quando em seu bordel da vida inteira a declararam usada demais para os gostos modernos e quiseram mandá-la para uma casa de aposentadas clandestinas que por cinco pesetas ensinavam os meninos a fazer amor. Ela tinha contado ao conde que sua mãe a vendera aos catorze anos no porto de Manaus e que o primeiro-oficial de um barco turco desfrutou dela sem piedade durante a travessia do Atlântico e depois deixou-a abandonada sem dinheiro, sem idioma e sem nome no pântano de luzes do Paralelo. Ambos eram conscientes de ter tão poucas coisas em comum que nunca sentiam-se mais sozinhos que quando estavam juntos, mas nenhum dos dois havia se atrevido a magoar os encantos do hábito. Precisaram de uma comoção nacional para perceber, ao mesmo tempo, o quanto haviam se odiado, e com quanta ternura, durante tantos anos.

Foi uma deflagração. O conde de Cardona estava escutando o dueto de amor de *La Bohème*, cantado por Licia Albanese e Beniamino Gigli, quando chegou até ele uma rajada casual das notícias do rádio que Maria dos Prazeres escutava na cozinha. Aproximou-se com cuidado e escutou também. O general Francisco Franco, ditador eterno da Espanha, havia assumido a responsabilidade de decidir o destino final de três separatistas bascos que acabavam de ser condenados à morte. O conde exalou um suspiro de alívio.

— Então, vão fuzilá-los sem remédio — disse ele —, porque o Caudilho é um homem justo.

Maria dos Prazeres fixou nele seus ardentes olhos de cobra-real, e viu suas pupilas sem paixão atrás dos óculos de ouro, os dentes de rapina, as mãos híbridas de animal acostumado à umidade e às trevas. Do jeito que ele era.

— Pois rogue a Deus que não — disse —, porque se fuzilarem um só eu boto veneno na tua sopa.

O conde assustou-se.

— E por que isso?

— Porque eu também sou uma puta justa.

O conde de Cardona não voltou mais, e Maria dos Prazeres teve a certeza de que o último ciclo de sua vida acabava de se encerrar. Até pouco antes, indignava-se quando lhe ofereciam o assento nos ônibus, que tentassem ajudá-la a atravessar a rua, que a tomassem pelo braço para subir as escadas, mas havia terminado não apenas por admitir tudo isso, mas desejando como uma necessidade detestável. Então mandou fazer uma lápide de anarquista, sem nome nem datas, e começou a dormir sem passar a tranca na porta para que Noi pudesse sair com a notícia se ela morresse durante o sono.

Um domingo, ao entrar em casa na volta do cemitério, encontrou no desvão da escada a menina que morava na porta da frente. Acompanhou-a vários quarteirões, falando-lhe de tudo com um candor de avó, enquanto via a menina brincar com Noi como velhos amigos. Na Plaza del Diamante, tal como havia previsto, ofereceu-lhe um sorvete.

— Você gosta de cachorros? — perguntou.

— Adoro — respondeu a menina.

Então Maria dos Prazeres fez a ela a proposta que tinha preparada desde tempos.

— Se algum dia me acontecer alguma coisa, cuide do Noi — disse — com a única condição de que nos domingos você o deixe livre, sem se preocupar. Ele vai saber o que fazer.

A menina ficou feliz. Maria dos Prazeres, por sua vez, regressou para casa com o júbilo de ter vivido um sonho, amadurecido durante anos em seu coração. Porém, não foi pelo cansaço da velhice nem pela demora da morte que aquele sonho não se realizou. Nem mesmo foi uma decisão própria. A vida havia tomado a decisão por ela numa tarde glacial de novembro, quando se precipitou uma tormenta súbita na saída do cemitério. Havia escrito os nomes nas três lápides e descia a pé para o ponto de ônibus quando ficou empapada até os ossos pelas primeiras rajadas de chuva. Mal teve tempo de abrigar-se nos portais de um bairro deserto que parecia outra cidade, com armazéns em ruínas e fábricas empoeiradas, e enormes furgões de carga que tornavam o estrépito da tormenta ainda mais pavoroso. Enquanto tentava aquecer com seu corpo o cãozinho ensopado, Maria dos Prazeres via passar os ônibus repletos, via passar os táxis vazios com a bandeira abaixada, mas ninguém prestava atenção a seus sinais de náufrago. De repente, quando já parecia impossível até um milagre, um automóvel suntuoso da cor do aço crepuscular passou quase sem ruído pela rua inundada, parou de chofre na esquina e regressou de marcha à ré até onde ela estava. Os vidros desceram por um sopro mágico, e o chofer se ofereceu para levá-la.

— Vou muito longe — disse Maria dos Prazeres com sinceridade. — Mas seria um grande favor me levar até mais perto.

— Diga aonde vai — insistiu ele.

— A Gràcia — disse ela.

A porta abriu-se sem tocá-la.

— Está no meu caminho — disse ele. — Sobe.

No interior, que cheirava a remédio refrigerado, a chuva converteu-se num percalço irreal, a cidade mudou de cor, e ela sentiu-se num mundo alheio e feliz onde tudo estava resolvido de antemão. O condutor abria caminho através da desordem do trânsito com uma fluidez que tinha algo de magia. Maria dos Prazeres estava intimidada, não apenas pela sua própria miséria mas também pela do cãozinho digno de pena que dormia em seu regaço.

— Isto é um transatlântico — disse, porque sentiu que tinha que dizer algo digno. — Nunca vi nada igual, nem em sonhos.

— Na verdade, a única coisa de mau é que não é meu — disse ele, num catalão difícil, e depois de uma pausa acrescentou em castelhano: — O salário da minha vida inteira não bastaria para comprá-lo.

— Calculo — suspirou ela.

Examinou-o de soslaio, iluminado pelo resplendor do painel, e viu que era quase um adolescente, com o cabelo crespo e curto, e um perfil de bronze romano. Pensou que não era belo, mas que tinha um encanto diferente, que lhe caía muito bem a jaqueta de couro barato gasta pelo uso, e que sua mãe devia sentir-se muito feliz quando adivinhava que estava voltando para casa. Só por suas mãos de lavrador já dava para acreditar que não era dono do automóvel.

Não tornaram a falar em todo o trajeto, mas também Maria dos Prazeres sentiu-se examinada de soslaio várias vezes, e uma vez condoeu-se por continuar viva à sua idade. Sentiu-se feia e compadecida, com o lenço de cozinha que havia posto na cabeça de qualquer jeito quando começou a chover, e o deplorável sobretudo de outono que não tivera a ideia de trocar porque estava pensando na morte.

Quando chegaram no bairro de Gràcia havia começado a amainar, era de noite e as luzes da rua estavam acesas. Maria dos Prazeres disse ao motorista que a deixasse numa esquina próxima, mas ele insistiu em levá-la até a porta de casa, e não só fez isso como também estacionou sobre a calçada para que pudesse descer sem se molhar. Ela soltou o cãozinho, tentou sair do automóvel com toda a dignidade que o corpo permitisse, e quando se virou para agradecer encontrou-se com um olhar de homem que deixou-a sem fôlego

Manteve o olhar por um instante, sem entender direito quem esperava o quê, nem de quem, e então ele perguntou com uma voz decidida:

— Subo?

Maria dos Prazeres sentiu-se humilhada.

— Agradeço muito o favor de me trazer — disse —, mas não permito que caçoe de mim.

— Não tenho nenhum motivo para caçoar de ninguém — disse ele em castelhano com uma seriedade terminante. — E muito menos de uma mulher como a senhora.

Maria dos Prazeres havia conhecido muitos homens como aquele, salvara do suicídio muitos outros mais atrevidos que aquele, mas nunca em sua longa vida tivera tanto medo de decidir. Ouviu-o insistir sem o menor indício de mudança na voz:

— Subo?

Ela afastou-se sem fechar a porta do automóvel e respondeu em castelhano para ter certeza de ser entendida.

— Faça o que quiser.

Entrou no saguão mal iluminado pelo resplendor oblíquo da rua e começou a subir o primeiro trecho da escada com os joelhos trêmulos, sufocada por um pavor que só acreditava possível no momento de morrer. Quando parou na frente da porta do apartamento, tremendo de ansiedade para encontrar as chaves na bolsa, ouviu a batida sucessiva das duas portas do automóvel na rua. Noi, que havia se adiantado, tentou latir. "Calado", ordenou ela com um sussurro de agonia. Quase em seguida sentiu os primeiros passos nos degraus soltos da escada e temeu que seu coração fosse arrebentar. Numa fração de segundo voltou a examinar por completo o sonho premonitório que havia mudado sua vida durante três anos e compreendeu o erro de sua interpretação.

"Deus meu", disse assombrada. "Quer dizer que não era a morte!"

Encontrou finalmente a fechadura, ouvindo os passos contados na escuridão, ouvindo a respiração crescente de alguém que se aproximava tão assustado quanto ela no escuro, e então compreendeu que havia valido a pena esperar tantos e tantos anos, e haver sofrido tanto na escuridão, mesmo que tivesse sido só para viver aquele instante.

Maio de 1979.

DEZESSETE
INGLESES ENVENENADOS

A primeira coisa que a senhora Prudencia Linero notou quando chegou ao porto de Nápoles foi que tinha o mesmo cheiro do porto de Riohacha. Não contou a ninguém, é claro, pois ninguém teria entendido naquele transatlântico senil abarrotado de italianos de Buenos Aires que voltavam à pátria pela primeira vez depois da guerra, mas de todo modo sentiu-se menos só, menos assustada e distante, aos 72 anos de sua idade e a dezoito dias de mar ruim de sua gente e de sua casa.

Desde o amanhecer haviam visto as luzes de terra. Os passageiros levantaram-se mais cedo que sempre, vestidos com roupas novas e com o coração oprimido pela incerteza do desembarque, e assim aquele último domingo a bordo pareceu ser o único de verdade na viagem inteira. A senhora Prudencia Linero foi uma das muito poucas que assistiram à missa. A diferença dos dias anteriores em que andava pelo barco vestindo meio luto, havia posto para desembarcar uma túnica parda de algodão tosco, com o cordão de São Francisco na cintura, e umas sandálias de couro cru que só por serem demasiado novas não pareciam de peregrino. Era um pagamento adiantado: tinha prometido a Deus usar aquele hábito talar até a morte, se lhe concedesse a graça de viajar a Roma para ver o Sumo Pontífice, e já considerava a graça concedida. No final da missa acendeu uma vela para o Espírito Santo pela coragem que lhe deu para suportar os temporais do Caribe, e rezou uma oração por cada um dos nove filhos e dos catorze netos que naquele momento sonhavam com ela na noite de ventos de Riohacha.

Quando subiu ao convés depois do café da manhã, a vida do barco havia mudado. As bagagens estavam amontoadas no salão de baile, no meio de tudo que é objeto para turistas comprado pelos italianos nos mercados de magia das Antilhas, e no balcão do bar havia um macaco de Pernambuco dentro de uma jaula de bordados de ferro. Era uma manhã radiante de princípios de agosto. Um domingo exemplar daqueles verões de depois da guerra em que a luz se comportava como uma revelação de cada dia, e o barco enorme movia-se muito devagar, com o resfolegar dos doentes, por um tanque diáfano. A fortaleza tenebrosa dos duques de Anjou mal começava a ser vislumbrada no horizonte, mas os passageiros inclinados na borda acreditavam reconhecer os lugares familiares e os mostravam sem vê-los ao certo, gritando de júbilo em dialetos meridionais. A senhora Prudencia Linero, que havia feito tantos velhos amigos a bordo, que havia cuidado de crianças enquanto seus pais dançavam e até havia costurado um botão do dólmã do primeiro-oficial, achou-os de repente alheios e diferentes. O espírito social e o calor humano que lhe permitiram sobreviver às primeiras nostalgias no torpor do trópico haviam desaparecido. Os amores eternos de alto-mar terminavam à vista do porto. A senhora Prudencia Linero, que não conhecia a natureza volúvel dos italianos, pensou que o mal não estava no coração dos outros e sim no seu, por ser ela a única que ia entre a multidão que regressava. Assim devem ser todas as viagens, pensou, padecendo pela primeira vez na vida dor aguda de ser forasteira, enquanto contemplava da borda os vestígios de tantos mundos extintos no fundo da água. De repente, uma moça muito bela que estava ao seu lado assustou-a com um grito de horror.

— *Mamma mia* — disse, apontando o fundo. — Olhem.

Era um afogado. A senhora Prudencia Linero viu-o flutuando de barriga para cima entre duas águas, e era um homem maduro e calvo com uma estranha prestância natural, e seus olhos abertos e alegres tinham a mesma cor do céu ao amanhecer. Vestia um traje de gala com um colete de brocado, botinas de verniz e uma gardênia viva na lapela. Na mão direita tinha um pacotinho cúbico embrulhado em papel de presente, e os dedos de ferro lívido estavam agarrados na fita do laço, que era a única coisa que encontrou onde se agarrar no instante de morrer.

— Deve ter caído de um casamento — disse um oficial do barco. — Acontece muito no verão nestas águas.

Foi uma visão instantânea, porque estavam então entrando na baía e outros motivos menos lúgubres distraíram a atenção dos passageiros. Mas a senhora Prudencio Linero continuou pensando no afogado, no coitadinho do afogado, cuja casaca ondulava na cicatriz que o barco abria na água.

Assim que entrou na baía, um rebocador decrépito saiu ao encontro do barco e levou-o pelo cabresto através dos escombros de numerosas naus militares destruídas durante a guerra. A água ia se transformando em óleo à medida que o barco abria caminho através dos escombros enferrujados, e o calor se fez ainda mais cruel que o de Riohacha às duas da tarde. Do outro lado do desfiladeiro, radiante ao sol das onze, apareceu de repente a cidade completa de palácios quiméricos e velhos barracos coloridos amontoados nas colinas. Do fundo removido levantou-se então um cheiro insuportável que a senhora Prudencia Linero reconheceu como o bafo de caranguejos podres do quintal de sua casa.

Enquanto a manobra durou os passageiros reconheciam seus parentes com gestos de júbilo no tumulto do cais. Na maioria eram matronas de peitarias estofadas, sufocadas dentro dos trajes de luto, com os meninos mais belos e numerosos da terra, e maridos pequenos e diligentes, do gênero imortal dos que leem o jornal depois de suas esposas e se vestem de escrivães formais apesar do calor.

No meio daquela algaravia de mercado, um homem muito velho de aspecto inconsolável, com um sobretudo de mendigo, tirava as duas mãos dos bolsos e com elas punhados e punhados de pintinhos. Num instante encheram o cais, piando enlouquecidos por todos os cantos, e só por serem animais de magia havia muitos que continuavam correndo vivos depois de serem pisados pela multidão alheia ao prodígio. O mago havia posto seu chapéu de boca para cima no chão, mas ninguém lhe atirou nenhuma moeda caridosa.

Fascinada pelo espetáculo de maravilha que parecia executado em sua honra, pois só ela agradecia, a senhora Prudencia Linero não percebeu o momento em que estenderam a passarela, e uma avalanche humana invadiu o barco, com os uivos e o ímpeto de uma abordagem de bucaneiros. Atordoada pelo júbilo e pelo bafo de cebolas rançosas de tantas famílias no verão, sacudida pelas quadrilhas de carregadores que disputavam a bagagem na porrada, sentiu-se ameaçada pela mesma morte sem glória dos pintinhos no cais. Então, sentou-se sobre seu baú de madeira com esquinas de latão pintado, e permaneceu impávida rezando um círculo vicioso de orações contra as tentações e perigos em terras de infiéis. Assim foi encontrada pelo primeiro-oficial quando passou o cataclismo e não ficou mais ninguém além dela no salão desmantelado.

— Ninguém pode ficar aqui a esta hora — disse o oficial com certa amabilidade. — Posso ajudá-la em alguma coisa?

— Tenho que esperar o cônsul — disse ela.

Era verdade. Dois dias antes de zarpar, seu filho mais velho havia mandado um telegrama ao cônsul em Nápoles, que era seu amigo, para rogar que a esperasse no porto e a ajudasse no que fosse necessário para continuar até Roma. Dera o nome do navio e a hora da chegada, e indicou, além disso, que podia reconhecê-la pelo hábito de São Francisco que ela vestiria para desembarcar. Ela mostrou-se tão dura em suas leis, que o primeiro-oficial permitiu que esperasse um pouco mais, apesar de ser a hora em que a tripulação almoçava e terem posto as cadeiras sobre as mesas e lavado o convés a golpes de balde. Tiveram, várias vezes, de mover o baú para não molhá-lo, mas ela mudava de lugar sem mexer um músculo, sem interromper suas orações, até que foi tirada das salas de recreio e terminou sentada em pleno sol entre os botes de salvamento. Ali o primeiro-oficial tornou a encontrá-la, um pouco antes das duas da tarde, afogando-se em suor dentro de seu escafandro de penitente, e rezando um rosário sem esperanças, porque estava aterrorizada e triste e suportava a duras penas as ânsias de chorar.

— É inútil continuar rezando — disse o oficial, sem a amabilidade da primeira vez. — Até Deus sai de férias em agosto.

Explicou-lhe que meia Itália estava na praia naquela época, sobretudo aos domingos. Era provável que o cônsul não estivesse de férias, pela índole de seu cargo, mas com certeza não abriria o escritório até segunda-feira. A única coisa razoável era ir a um hotel, descansar aquela noite em paz, e no dia seguinte telefonar ao consulado, cujo número com certeza estaria na lista. Assim a senhora Prudencia Linero teve que se conformar com esse argumento, e o oficial ajudou-a com a imigração e a alfândega e o câmbio, e colocou-a dentro de um táxi com a indicação precária de que a levassem a um hotel decente.

O táxi decrépito com rasgos de carro fúnebre avançava aos saltos por ruas desertas. A senhora Prudencia Linero pensou por um instante que o condutor e ela eram os únicos seres vivos numa cidade de fantasmas dependurados em fios no meio da rua, mas também pensou que um homem que falava tanto, e com tamanha paixão, não podia ter tempo de fazer mal a uma pobre mulher solitária que havia desafiado os riscos do oceano para ver o papa.

Ao final do labirinto de ruas, tornava-se a ver o mar. O táxi continuou dando saltos ao longo de uma praia ardente e solitária onde havia hotéis pequenos de cores intensas. Mas não parou em nenhum deles, foi direto ao menos vistoso, situado num jardim público com grandes palmeiras e bancos verdes. O chofer pôs o baú na calçada assombreada, e ante a incerteza da senhora Prudencia Linero, garantiu que aquele era o hotel mais decente de Nápoles.

Um carregador formoso e amável jogou o baú no ombro e se encarregou dela. Conduziu-a até o elevador de redes metálicas improvisado no vão da escada, e começou a cantar uma ária de Puccini a todo vapor e com uma determinação alarmante. Era um vetusto edifício de nove andares restaurados, em cada um dos quais havia um hotel diferente. A senhora Prudencia Linero sentiu-se de repente em um instante alucinado, metida num galinheiro que subia muito devagar pelo centro de uma escadaria de mármores estentóreos, e surpreendia as pessoas dentro de suas casas com suas dúvidas mais íntimas, com suas cuecas puídas e seus arrotos ácidos. No terceiro andar o elevador parou com um sobressalto, e então o carregador deixou de cantar, abriu a porta de losangos dobráveis e indicou à senhora Prudencia Linero, com uma reverência galante, que estava em casa.

Ela viu um adolescente lânguido atrás de um balcão de madeira com incrustações de vidros coloridos no vestíbulo e plantas de sombra em vasos de cobre. Gostou dele de saída, porque tinha os mesmos cachos de serafim de seu neto caçula. Gostou do nome do hotel com letras gravadas numa placa de bronze, gostou do cheiro de ácido fênico, gostou das samambaias penduradas, do silêncio, das flores-de-lis de ouro no papel de parede. Depois deu um passo fora do elevador, e seu coração se encolheu. Um grupo de turistas ingleses de calças curtas e sandálias de praia cochilava numa longa fila de poltronas de espera. Eram dezessete, e estavam sentados em ordem simétrica, como se fossem um só repetidos muitas vezes numa galeria de espelhos. A senhora Prudencia Linero viu-os sem distingui-los, com um único golpe de vista, e a única coisa que a impressionou foi a longa fileira de joelhos rosados, que pareciam leitões pendurados nos ganchos de um açougue. Não deu mais nenhum passo em direção à recepção, retrocedeu assustada e entrou no elevador de novo.

— Vamos a outro andar — disse.

— Este é o único que tem refeitório, *signora* — disse o carregador.

— Não importa — disse ela.

O carregador fez um gesto conformado, fechou o elevador, e cantou o pedaço que faltava da canção até o hotel do quinto andar. Ali tudo parecia menos formal, e a dona era uma matrona primaveral que falava um castelhano fácil, e ninguém fazia a sesta nas poltronas do vestíbulo. Não havia refeitório, é verdade, mas o hotel tinha um acordo com uma pensão vizinha para que servisse os seus hóspedes por um preço especial. De maneira que a senhora Prudencia Linero decidiu que sim, ficaria por uma noite, tão convencida pela eloquência e a simpatia da dona como pelo alívio de que não houvesse nenhum inglês de joelhos rosados dormindo no vestíbulo.

O dormitório tinha as persianas fechadas às duas da tarde, e a penumbra conservava a frescura e o silêncio de uma floresta recôndita, e era bom para chorar. Nem bem ficou sozinha, a senhora Prudencia Linero passou os dois ferrolhos, e urinou pela primeira vez desde a manhã com um desaguar tão tênue e difícil que permitiu-lhe recobrar sua identidade perdida durante a viagem. Depois tirou as sandálias e o cordão do hábito e estendeu-se do lado do coração sobre a cama de casal demasiado larga e demasiado solitária para ela só, e soltou o outro manancial de suas lágrimas atrasadas.

Não apenas era a primeira vez que saía de Riohacha, mas também uma das poucas em que saiu de sua casa depois que seus filhos casaram e foram embora, e ela ficou sozinha com duas índias descalças cuidando do corpo sem alma de seu marido. Consumiu metade da vida no dormitório diante dos escombros do único homem que havia amado, e que permaneceu no letargo durante quase trinta anos, estendido na cama de seus amores juvenis sobre um colchão de couros de bode.

No outubro anterior, o enfermo abriu os olhos numa rajada súbita de lucidez, reconheceu sua gente e pediu que chamassem um fotógrafo. Levaram o velho do parque com o enorme aparelho de fole e manta negra, e o prato de magnésio para as fotos domésticas. O próprio doente dirigiu as fotos. "Uma para Prudencia, pelo amor e pela felicidade que me deu em vida", disse. Fizeram a foto com a primeira explosão do magnésio. "Agora, mais duas para minhas filhas adoradas, Prudencita e Natalia", disse. Foram feitas. "Outras duas para meus filhos homens, exemplos da família por seu carinho e seu bom-senso", disse. E foi assim até que acabou-se o papel e o fotógrafo teve que ir em casa se reabastecer. Às quatro da tarde, quando já não se podia mais respirar no quarto pela fumaça do magnésio e o tumulto dos parentes, amigos e conhecidos que acudiram a receber suas cópias do retrato, o inválido começou a se desvanecer na cama, e foi se despedindo de todos com adeuses de mão, como que apagando-se do mundo na balaustrada de um barco.

Sua morte não foi para a viúva o alívio que todos esperavam. Ao contrário, ficou tão aflita, que seus filhos se reuniram para perguntar-lhe como poderiam consolá-la, e ela respondeu que não queria nada além de ir a Roma e conhecer o papa.

— Vou sozinha e com o hábito de São Francisco — advertiu. — É uma promessa.

Tudo de grato que lhe restou daqueles anos de vigília foi o prazer de chorar. No barco, enquanto teve que compartilhar o camarote com duas irmãs clarissas que ficaram em Marselha, demorava no banheiro para chorar sem ser vista. De maneira que o quarto de hotel de Nápoles foi o único lugar propício que havia encontrado para chorar à solta desde que saiu de Riohacha. E teria chorado até o dia seguinte, quando sairia o trem para Roma, se não fosse a dona ter batido na porta às sete para avisá-la que, se não chegasse a tempo na pensão, ficaria sem comer.

O empregado do hotel a acompanhou. Uma brisa fresca tinha começado a soprar vinda do mar, e ainda havia alguns banhistas na praia debaixo do sol pálido das sete. A senhora Prudencia Linero seguiu o empregado pelo despenhadeiro de ruas empinadas e estreitas que mal começavam a despertar da sesta de domingo, e encontrou-se de repente debaixo de uma pérgula sombria, onde havia mesas com toalhas de quadradinhos vermelhos e frascos de conservas improvisados como vasos com flores de papel. Os únicos comensais naquela hora madrugadora eram os próprios empregados e um padre muito pobre que comia cebolas com pão num canto afastado. Ao entrar, ela sentiu o olhar de todos por causa do hábito pardo, mas não se alterou, pois estava consciente de que o ridículo fazia parte da penitência. A moça que servia, porém, suscitou nela uma pitada de piedade, porque era loura e bela e falava como se cantasse, e ela pensou que deveriam estar muito mal na Itália depois da guerra para que uma moça como aquela tivesse de servir mesas numa pensão. Mas sentiu-se bem no ambiente de flores da pérgula, e o aroma de louro no guisado da cozinha despertou nela a fome adiada pela confusão do dia. Pela primeira vez em muito tempo não tinha vontade de chorar.

No entanto, não conseguiu comer com prazer. Em parte, porque lhe custou trabalho entender-se com a moça que servia, a loura, apesar de ser simpática e paciente, e em parte porque a única carne que havia para comer era de passarinhos cantores como os que criavam em gaiolas nas casas de Riohacha. O padre, que comia num canto, e que acabou servindo de intérprete, tentou fazê-la entender que as emergências da guerra não haviam terminado na Europa, e que aquilo devia ser apreciado como um milagre, que pelo menos houvesse passarinhos para comer. Mas ela recusou.

— Para mim — disse — seria como comer um filho.

E assim teve que se conformar com uma sopa de macarrão, um prato de abobrinhas fervidas com umas tiras de toucinho rançoso e um pedaço de pão que parecia de mármore. Enquanto comia, o padre se aproximou para suplicar-lhe por caridade que o convidasse para tomar uma xícara de café e sentou-se com ela. Era iugoslavo, mas havia sido missionário na Bolívia, e falava um castelhano difícil e expressivo. A senhora Prudencia Linero achou-o um homem ordinário e sem o menor vestígio de indulgência, e observou que tinha mãos indignas com unhas rachadas e sujas, e um hálito de cebolas tão persistente que mais parecia um atributo do caráter. Mas enfim estava a serviço de Deus, e era um prazer novo encontrar alguém com quem se entender estando tão longe de casa.

Conversaram devagar, alheios ao denso rumor de estábulo que os ia cercando à medida que os clientes ocupavam as outras mesas. A senhora Prudencia Linero tinha um julgamento terminante sobre a Itália: não gostava. E não porque os homens fossem um pouco abusivos, o que já era muito, nem porque comessem os pássaros, o que já era demasiado, mas pelo mau hábito de deixar os afogados à deriva.

O padre, que além do café havia pedido, por conta dela, um cálice de *grappa*, tentou fazer com que ela visse a inconsistência de seu julgamento. Pois durante a guerra havia sido estabelecido um serviço muito eficaz para resgatar, identificar e sepultar em terra sagrada os numerosos afogados que amanheciam flutuando na baía de Nápoles.

— Há séculos — concluiu o padre — os italianos tomaram consciência de que não existe mais do que uma vida, e tratam de vivê-la da melhor maneira. Isso os tornou calculadores e volúveis, mas curou-os da crueldade.

— Nem pararam o barco — disse ela.

— O que fazem é avisar por rádio as autoridades do porto — disse o padre. — A esta hora, já devem tê-lo recolhido e enterrado em nome de Deus.

A discussão mudou o humor de ambos. A senhora Prudencio Linero havia acabado de comer, e só então percebeu que todas as mesas estavam ocupadas. Nas mais próximas, comendo em silêncio, havia turistas quase despidos, e entre eles alguns casais de namorados que se beijavam em vez de comer. Nas mesas do fundo, perto do balcão, estavam as pessoas do bairro jogando dados e bebendo um vinho sem cor. A senhora Prudencia Linero compreendeu que tinha uma só razão para permanecer naquele país indesejável.

— O senhor acha que é muito difícil ver o papa? — perguntou.

O padre respondeu que não havia nada mais fácil no verão. O papa estava de férias em Castelgandolfo, e nas tardes de quarta-feira recebia em audiência pública peregrinos do mundo inteiro. A entrada era muito barata: vinte liras.

— E quanto ele cobra para confessar a gente? — perguntou.

— O Santo Padre não confessa ninguém — disse o padre, um pouco escandalizado —, a não ser os reis, claro.

— Não vejo por que ele haverá de negar esse favor a uma pobre mulher que vem de tão longe — disse ela.

— Até alguns reis, que eram reis, morreram esperando — disse o padre. — Mas diga: deve ser um pecado tremendo, para que a senhora tenha feito sozinha tamanha viagem só para confessá-lo ao Santo Padre.

A senhora Prudencia Linero pensou um instante, e o padre a viu sorrir pela primeira vez.

— Ave Maria Puríssima! — disse. — Só de ver o papa já chega. — E acrescentou com um suspiro que pareceu sair-lhe de alma: — Foi o sonho da minha vida!

Na verdade, continuava assustada e triste, e a única coisa que queria era ir embora imediatamente, não só daquele lugar, mas da Itália. O padre deve ter pensado que aquela alucinada não dava mais, desejou-lhe boa sorte e foi para outra mesa pedir por caridade que lhe pagassem um café.

Quando saiu da pensão, a senhora Prudencia Linero encontrou a cidade mudada. Foi surpreendida pela luz do sol às nove da noite, e assustou-se com a multidão estridente que havia invadido as ruas com o alívio da brisa nova. Não era possível viver com os petardos de tantas *vespas* enlouquecidas. Eram conduzidas por homens sem camisa que levavam nas garupas belas mulheres abraçadas às suas cinturas, e abriam caminho aos saltos, serpenteando através dos leitões pendurados e das mesas de melancia.

O ambiente era de festa, mas a senhora Prudencia Linero achou-o de catástrofe. Encontrou-se de repente numa rua intempestiva com mulheres taciturnas sentadas à porta de suas casas iguais, e cujas luzes vermelhas e intermitentes lhe causaram um estremecimento de pavor. Um homem bem-vestido, com um anel de ouro maciço e um diamante na gravata perseguiu-a por vários quarteirões dizendo-lhe algo em italiano e depois em inglês e francês. Como não teve resposta, mostrou-lhe um cartão-postal de um pacote que tirou do bolso, e ela só precisou de um golpe de vista para sentir que estava atravessando o inferno.

Fugiu apavorada e no final da rua tornou a encontrar o mar crepuscular com o mesmo bafo de mariscos podres do porto de Riohacha, e o coração tornou a ficar em seu lugar. Reconheceu os hotéis coloridos na frente da praia deserta, os táxis funerários, o diamante da primeira estrela no céu imenso. Ao fundo da baía, solitário no cais, reconheceu o barco no qual havia chegado, enorme e com os conveses iluminados, e percebeu que já não tinha nada a ver com sua vida. Ali virou à esquerda, mas não pôde seguir, porque havia uma multidão de curiosos mantidos a distância por uma patrulha de carabineiros. Uma fila de ambulâncias esperava com as portas abertas na frente do edifício de seu hotel.

Empinada por cima do ombro dos curiosos, a senhora Prudencia Linero voltou a ver então os turistas ingleses. Estavam sendo retirados em macas, um a um, e estavam todos imóveis e dignos, e continuavam parecendo um só várias vezes repetido com a roupa formal que haviam vestido para o jantar: calças de flanela, gravata de listras diagonais, e a jaqueta escura com o escudo do Trinity College bordado no bolso do peito. Os vizinhos nas varandas e os curiosos bloqueados na rua iam contando em coro, como num estádio, à medida que eram retirados. Eram dezessete. Foram metidos em ambulâncias de dois em dois, e levados com um estrondo de sirenes de guerra.

Aturdida por tantos estupores, a senhora Prudencia Linero subiu no elevador abarrotado pelos clientes dos outros hotéis que falavam idiomas herméticos. Foram ficando em todos os andares, exceto no terceiro, que estava aberto e iluminado, mas ninguém estava na recepção ou nas poltronas do vestíbulo, onde havia visto os joelhos rosados dos dezessete ingleses adormecidos. A dona do quinto andar comentava o desastre numa excitação sem controle.

— Estão todos mortos — disse à senhora Prudencia Linero em castelhano. — Envenenaram-se com a sopa de ostras do jantar. Ostras em agosto, imagine!

Entregou-lhe a chave do quarto, sem prestar-lhe mais atenção, enquanto dizia aos outros clientes em seu dialeto: "Como aqui não tem refeitório, quem se deita para dormir amanhece vivo!" Outra vez com o nó de lágrimas na garganta, a senhora Prudencia Linero passou os ferrolhos do quarto. Depois rodou contra a porta a mesinha de escrever e a poltrona, e pôs por último o baú como uma barricada insuperável contra o horror daquele país onde aconteciam tantas coisas ao mesmo tempo. Depois vestiu a camisola de viúva, estendeu-se de barriga para cima na cama e rezou dezessete rosários pelo eterno descanso das almas dos dezessete ingleses envenenados.

Abril de 1980.

TRAMONTANA

Vi o rapaz uma única vez no *Boccacio,* o cabaré da moda em Barcelona, poucas horas antes de sua morte ruim. Estava acossado por uma quadrilha de jovens suecos que tentavam levá-lo às duas da madrugada para terminar a festa em Cadaqués. Eram onze, e dava trabalho distingui-los, porque os homens e as mulheres pareciam iguais: belos, de cadeiras estreitas e longas cabeleiras douradas. Ele não devia ter mais do que vinte anos. Tinha a cabeça coberta de cachos engordurados, a cútis melancólica e polida dos caribenhos acostumados por suas mães a caminhar pela sombra, e um olhar árabe capaz de transtornar as suecas, e talvez vários suecos. Haviam-no colocado sentado no balcão como um boneco de ventríloquo, e cantavam para ele canções da moda acompanhadas de palmas, para convencê-lo a ir com eles. Ele, aterrorizado, explicava seus motivos. Alguém interveio aos gritos para exigir que o deixassem em paz, e um dos suecos enfrentou-o morrendo de rir.

— É nosso — gritou. — Nós o encontramos na lata de lixo.

Eu havia entrado pouco antes com um grupo depois do último concerto de David Oistrakh no Palau de la Música, e fiquei arrepiado com a incredulidade dos suecos. Pois os motivos do rapaz eram sagrados. Ele havia morado em Cadaqués até o verão anterior, onde o contrataram para cantar canções das Antilhas num botequim que estava na moda, até que foi derrotado pela tramontana. Conseguiu escapar no segundo dia com a decisão de não voltar nunca, com tramontana ou sem, certo de que se voltasse alguma vez a morte estaria à espera. Era uma certeza caribenha que não podia ser entendida por um bando de nórdicos racionalistas, ensandecidos pelo verão e pelos duros vinhos catalães daquele tempo, que semeavam ideias desaforadas no coração.

Eu o entendia como ninguém. Cadaqués era uma das aldeias mais belas da Costa Brava, e a mais bem conservada. Isto se devia em parte ao fato de a estrada de acesso ser uma pirambeira estreita e retorcida na beira de um abismo sem fundo, onde era preciso ter a alma muito no lugar para dirigir a mais de cinquenta por hora. As casas de sempre eram brancas e baixas, com o estilo tradicional das aldeias de pescadores do Mediterrâneo. As novas eram construídas por arquitetos de renome que haviam respeitado a harmonia original. No verão, quando o calor parecia vir dos desertos africanos da calçada em frente, Cadaqués se transformava numa Babel infernal, com turistas de toda a Europa que durante três meses disputavam o paraíso com os nativos e com os forasteiros que tinham tido a sorte de comprar uma casa por bom preço quando ainda era possível. No entanto, na primavera e no outono, que eram as épocas em que Cadaqués ficava mais desejável, ninguém deixava de pensar com temor na tramontana, um vento de terra inclemente e tenaz, que, segundo acreditam os nativos e alguns escritores experientes, leva consigo os germes da loucura.

Há uns quinze anos eu era um de seus visitantes assíduos, até que a tramontana atravessou nossas vidas. Senti-a antes que chegasse, um domingo na hora da sesta, com o presságio inexplicável de que alguma coisa ia acontecer. Meu ânimo baixou, me senti triste sem causa, e tive a impressão que meus filhos, então com menos de dez anos, me seguiam pela casa com olhares hostis. O zelador entrou pouco depois com uma caixa de ferramentas e umas cordas marítimas para fixar portas e janelas, e não se surpreendeu com a minha prostração.

— É a tramontana — me disse. — Em menos de uma hora estará aqui.

Era um antigo homem do mar, muito velho, que conservava do ofício um jaquetão impermeável, o gorro e o cachimbo, e a pele tostada pelos sais do mundo. Em suas horas livres jogava bocha na praça com veteranos de várias guerras perdidas, e tomava aperitivos com os turistas nas tabernas da praia, pois tinha a virtude de se fazer entender em qualquer língua com seu catalão de artilheiro. Prezava-se de conhecer todos os portos do planeta, mas nenhuma cidade terra adentro. "Nem Paris de França, que é o que é", dizia. Pois não acreditava em nenhum veículo que não fosse de mar.

Nos últimos anos havia envelhecido de um golpe, e não voltara à rua. Passava a maior parte do tempo em seu cubículo de porteiro, sozinho na alma, como viveu sempre. Cozinhava sua própria comida numa lata e num fogareirinho a álcool, mas isso era suficiente para deleitar-nos com todas as maravilhas da cozinha gótica. Desde o amanhecer ocupava-se dos inquilinos, um andar atrás do outro, e era um dos homens mais prestativos que conheci, com a generosidade involuntária e a ternura áspera dos catalães. Falava pouco, mas seu estilo era direto e certeiro. Quando não tinha nada mais para fazer, passava horas preenchendo cartelas de prognóstico de futebol que nunca levava para apostar.

Naquele dia, enquanto fixava portas e janelas em prevenção contra o desastre, falou-nos da tramontana como se fosse uma mulher abominável mas sem a qual sua vida perderia sentido. Eu me surpreendi que um homem do mar rendesse semelhante tributo a um vento de terra.

— É que este é mais antigo — disse.

Dava a impressão de que não tinha seu ano dividido em dias e meses, mas no número de vezes que a tramontana vinha. "No ano passado, uns três dias depois da tramontana, tive uma crise de cólica", me disse uma vez. Talvez isso explicasse sua crença em que depois de cada tramontana ficava-se muitos anos mais velho. Era tamanha sua obsessão, que espalhou em nós a ansiedade de conhecê-la como uma visita mortal e desejável.

Não foi preciso esperar muito. Mal o porteiro saiu, e escutou-se um assovio que pouco a pouco foi se fazendo mais agudo e intenso, e dissolveu-se num estrondo de tremor de terra. Então, começou o vento. Primeiro em rajadas esparsas cada vez mais frequentes, até que uma ficou imóvel, sem uma pausa, sem um alívio, com uma intensidade e uma sevícia que tinham algo de sobrenatural. Nosso apartamento, ao contrário do usual no Caribe, dava de frente para a montanha, devido talvez a este raro gosto dos catalães azedos que amam o mar mas sem vê-lo. De maneira que o vento nos dava de frente e ameaçava arrebentar as amarras das janelas.

O que mais me chamou a atenção era que o tempo continuava sendo de uma beleza irrepetível, com um sol de ouro e o céu impávido. Tanto, que decidi sair na rua com os meninos para ver o estado do mar. Eles, afinal, tinham sido criados entre os terremotos do México e os furacões do Caribe, e um vento a mais ou a menos não nos pareceu suficiente para inquietar ninguém. Passamos nas pontas dos pés pelo cubículo do porteiro e o vimos estático diante de um prato de feijão com linguiça, contemplando o vento pela janela. Não nos viu sair.

Conseguimos caminhar enquanto nos mantivemos ao abrigo da casa, mas ao sair à esquina desamparada tivemos que abraçar-nos a um poste para não sermos arrastados pela potência do vento. Ficamos assim, admirando o mar imóvel e diáfano em meio ao cataclismo, até que o porteiro, ajudado por alguns vizinhos, conseguiu resgatar-nos. Só então nos convencemos de que a única coisa racional era permanecer trancados em casa até que Deus quisesse. E ninguém tinha então a menor ideia de quando Ele iria querer.

Ao cabo de dois dias tínhamos a impressão de que aquele vento pavoroso não era um fenômeno telúrico, e sim uma ofensa pessoal que alguém estava fazendo a nós, e só contra nós. O porteiro nos visitava várias vezes por dia, preocupado por nosso estado de espírito, e nos levava frutas da estação e biscoitos recheados para os meninos. No almoço da terça-feira, nos presenteou com a obra-prima da cozinha catalã, preparada em sua lata de cozinha: coelho com caracóis. Foi uma festa no meio do horror.

Na quarta-feira, quando não aconteceu nada além do vento, tive o dia mais longo da minha vida. Mas deve ter sido algo como a escuridão do amanhecer, porque depois da meia-noite despertamos todos ao mesmo tempo, oprimidos por um silêncio absoluto que só podia ser o da morte. Não se movia uma única folha das árvores pelo lado da montanha. Portanto, saímos à rua quando ainda não havia luz no quarto do porteiro, e gozamos do céu da madrugada com todas as suas estrelas acesas, e do mar fosforescente. Apesar de ser menos das cinco, muitos turistas desfrutavam do alívio nas pedras da praia, e começavam a preparar os veleiros depois de três dias de penitência.

Ao sair, não havia chamado nossa atenção o fato de o quarto do porteiro estar às escuras. Mas quando regressamos para casa o ar já tinha a mesma fosforescência do mar, e seu cubículo continuava apagado. Achando estranho, bati duas vezes, e como não respondia, empurrei a porta. Creio que os meninos o viram primeiro que eu, e soltaram um grito de espanto. O velho porteiro, com suas insígnias de navegante distinto presas na lapela de sua jaqueta do mar, estava dependurado pelo pescoço na viga central, balançando ainda com o último sopro da tramontana.

Em plena convalescença, e com um sentimento de nostalgia antecipada, fomos embora da aldeia antes do previsto, com a determinação irrevogável de não voltar jamais. Os turistas estavam outra vez na rua, e havia música na praça dos veteranos, que mal tinham ânimo para golpear as bolas de bocha. Através dos vidros empoeirados do bar *Marítim* conseguimos ver alguns amigos sobreviventes, que começavam a vida outra vez na primavera radiante da tramontana. Mas aquilo tudo já pertencia ao passado.

Por isso, na madrugada triste do *Bocaccio,* ninguém como eu entendia o terror de alguém que se negasse a voltar a Cadaqués porque tinha certeza de morrer. No entanto, não houve modo de dissuadir os suecos, que terminaram levando o rapaz à força com a pretensão europeia de aplicar uma cura de cavalo às suas superstições africanas. Foi metido esperneando numa caminhonete de bêbados, no meio dos aplausos e das vaias da clientela dividida, e começaram naquela hora a longa viagem até Cadaqués.

Na manhã seguinte o telefone me despertou. Havia esquecido de fechar as cortinas ao regressar da festa e não tinha a menor ideia das horas, mas o quarto estava entupido do esplendor do verão. A voz ansiosa no telefone, que não consegui reconhecer de imediato, acabou de me despertar.

— Você lembra do garoto que levaram ontem à noite para Cadaqués?

Não precisei ouvir mais. Só que não foi como eu havia imaginado, mas ainda mais dramático. O garoto, apavorado pela iminência do regresso, aproveitou um descuido dos suecos malucos e lançou-se ao abismo, tentando escapar de uma morte inevitável.

Janeiro de 1982.

O VERÃO FELIZ DA SENHORA FORBES

De tarde, de regresso à casa, encontramos uma enorme serpente-do-mar pregada pelo pescoço no batente da porta, e era negra e fosforescente e parecia um malefício de ciganos, com os olhos ainda vivos e os dentes de serrote nas mandíbulas escancaradas. Eu andava, na época, com uns nove anos, e senti um terror tão intenso diante daquela aparição de delírio que fiquei sem voz. Mas meu irmão, que era dois anos menor que eu, soltou os tanques de oxigênio, as máscaras e as nadadeiras e saiu fugindo com um grito de espanto. A senhora Forbes ouviu-o da tortuosa escada de pedras que trepava pelos recifes do embarcadouro até a casa e nos alcançou, arquejante e lívida, mas bastou que visse o animal crucificado na porta para compreender a causa do nosso horror. Ela costumava dizer que quando duas crianças estão juntas, ambas são culpadas do que cada uma fizer sozinha, de maneira que repreendeu a nós dois pelos gritos de meu irmão, e continuou recriminando nossa falta de domínio. Falou em alemão, e não em inglês, como estava estabelecido em seu contrato de preceptora, talvez porque ela também estivesse assustada e se negasse a admitir. Mas assim que recobrou o fôlego voltou ao seu inglês pedregoso e à sua obsessão pedagógica.

— É uma *Muraena helena* — nos disse —, assim chamada porque foi um animal sagrado para os gregos antigos.

Oreste, o rapaz nativo que nos ensinava a nadar nas águas profundas, apareceu de repente atrás dos arbustos de alcaparras. Estava com a máscara de mergulhador na testa, um minúsculo calção de banho e um cinturão de couro com seis facas, de formas e tamanhos diferentes, pois não concebia outra maneira de caçar debaixo d'água que não fosse lutando corpo a corpo com os animais. Tinha uns vinte anos, passava mais tempo nos fundos marinhos que em terra firme, e ele próprio parecia um animal do mar com o corpo sempre besuntado de graxa de motor. Quando o viu pela primeira vez, a senhora Forbes dissera a meus pais que era impossível conceber um ser humano mais belo. No entanto, sua beleza não o punha a salvo do rigor: também ele teve que suportar uma reprimenda em italiano por haver pendurado a moreia na porta sem outra explicação possível que a de assustar os meninos. Depois, a senhora Forbes mandou que a despregasse com o respeito devido a uma criatura mítica e mandou-nos vestir para o jantar.

Fizemos isso de imediato e tratando de não cometer um único erro, porque após duas semanas sob o regime da senhora Forbes havíamos aprendido que nada era mais difícil que viver. Enquanto estávamos debaixo do chuveiro no banheiro em penumbra, percebi que meu irmão continuava pensando na moreia. "Tinha olhos de gente", disse ele. Eu estava de acordo, mas fiz com que ele achasse o contrário, e consegui mudar de tema até acabar meu banho. Mas quando saí do chuveiro me pediu que ficasse para acompanhá-lo.

— Ainda é dia — disse a ele.

Abri as cortinas. Era pleno agosto, e através da janela via-se a ardente planície lunar até o outro lado da ilha, e o sol parado no céu.

— Não é por isso — disse meu irmão. — É que tenho medo de ter medo.

No entanto, quando chegamos à mesa havia feito as coisas com tanto esmero que mereceu uma felicitação especial da senhora Forbes, e mais dois pontos em sua conta da semana. Eu, em compensação, perdi dois pontos dos cinco que tinha ganho, porque na última hora me deixei arrastar pela pressa e cheguei à sala de jantar com a respiração alterada. Cada cinquenta pontos nos dava direito a uma ração dupla de sobremesa, mas nenhum dos dois havia conseguido passar dos quinze. Era uma pena, de verdade, porque nunca mais encontramos pudins tão deliciosos como os da senhora Forbes.

Antes de começar o jantar rezávamos de pé na frente dos pratos vazios. A senhora Forbes não era católica, mas seu contrato estipulava que nos fizesse rezar seis vezes por dia, e havia aprendido nossas orações para cumprir sua obrigação. Depois sentávamos, nós três, reprimindo a respiração enquanto ela comprovava até o detalhe mais ínfimo de nossa conduta, e só quando tudo parecia perfeito tocava a campainha. Então entrava Fulvia Flamínea, a cozinheira, com a eterna sopa de macarrão daquele verão aborrecido.

No começo, quando estávamos sozinhos com nossos pais, a comida era uma festa. Fulvia Flamínea nos servia cacarejando ao redor da mesa, com uma vocação de desordem que alegrava a vida, e no fim sentava-se conosco e terminava comendo um pouco do prato de cada um. Mas desde que a senhora Forbes tomou conta dos nossos destinos, nos servia em silêncio tão obscuro que podíamos ouvir o burburinho da sopa fervendo na terrina. Jantávamos com a espinha dorsal apoiada no espaldar da cadeira, mastigando dez vezes de um lado e dez do outro, sem afastar os olhos da férrea e lânguida mulher outonal, que recitava uma lição de urbanidade aprendida de cor. Era igual à missa de domingo, mas sem o consolo das pessoas cantando.

No dia em que encontramos a moreia pendurada na porta, a senhora Forbes falou-nos dos deveres para com a pátria. Fulvia Flamínea, quase flutuando no ar rarefeito pela voz, serviu-nos depois da sopa um filé grelhado de uma carne nevada com um cheiro esplêndido. Para mim, que desde então preferia o peixe a qualquer outra coisa de comer da terra ou do céu, aquela lembrança de nossa casa de Guacamayal foi um alívio para o coração. Mas meu irmão recusou o prato sem prová-lo.

— Não gosto — disse.

A senhora Forbes interrompeu a lição.

— Você não pode saber — disse —, nem provou.

Dirigiu à cozinheira um olhar de alerta, mas já era tarde.

— A moreia é o peixe mais fino do mundo, *figlio mio* — disse Fulvia Flamínea. — Prove para ver.

A senhora Forbes não se alterou. Contou-nos, com seu método inclemente, que a moreia era um manjar de reis na antiguidade, e que os guerreiros disputavam sua bílis porque infundia uma coragem sobrenatural. Depois repetiu para nós, como tantas vezes em tão pouco tempo, que o bom gosto não é uma faculdade congênita, mas que tampouco pode ser ensinado em qualquer idade, deve ser imposto na infância. De maneira que não havia nenhuma razão válida para não comer. Eu, que havia provado a moreia antes de saber o que era, fiquei para sempre com uma contradição: tinha um sabor suave, embora um pouco melancólico, mas a imagem da serpente pregada no portal era mais aguda que meu apetite. Meu irmão fez um esforço supremo com o primeiro pedaço, mas não conseguiu suportar: vomitou.

— Vá ao banheiro — disse a senhora Forbes sem se alterar —, lave-se bem e volte para comer.

Senti uma grande angústia por ele, pois sabia o quanto lhe custava atravessar a casa inteira com as primeiras sombras e permanecer sozinho no banheiro o tempo necessário para se lavar. Mas voltou num instante, com outra camisa limpa, pálido e levemente sacudido por um tremor recôndito, e resistiu muito bem ao exame severo de sua limpeza. Então a senhora Forbes trinchou um pedaço da moreia, e deu a ordem de continuar. Eu passei um segundo bocado a duras penas. Meu irmão, porém, nem chegou a pegar os talheres.

— Não vou comer — disse.

Sua determinação era tão evidente que a senhora Forbes retraiu-se.

— Está bem — disse —, mas não vai ter sobremesa.

O alívio de meu irmão me deu coragem. Cruzei os talheres sobre o prato, do jeito que a senhora Forbes nos ensinou que deveríamos fazer ao terminar, e disse:

— Eu também não vou comer sobremesa.

— Nem vão ver televisão — disse ela.

— Nem vamos ver televisão — respondi.

A senhora Forbes pôs o guardanapo sobre a mesa, e nós três nos levantamos para rezar. Depois mandou-nos para o quarto, com a advertência de que deveríamos dormir no tempo que ela levava para acabar de comer. Todos os nossos pontos ficavam anulados, e só a partir de vinte tornaríamos a desfrutar de seus bolos de creme suas tortas de baunilha, seus maravilhosos biscoitos de ameixas, como não haveríamos de conhecer outros no resto de nossas vidas.

Cedo ou tarde teríamos que chegar a esta ruptura. Durante um ano inteiro havíamos esperado com ansiedade aquele verão livre na ilha de Pantelaria, no extremo meridional da Sicília, e assim tinha sido durante o primeiro mês, em que nossos pais estiveram conosco. Ainda recordo como um sonho a planície solar de rochas vulcânicas, o mar eterno, a casa pintada de cal viva até os sardinéis, de cujas janelas viam-se nas noites sem vento as hastes luminosas dos faróis da África. Explorando com meu pai os fundos adormecidos ao redor da ilha havíamos descoberto uma réstia de torpedos amarelos, encalhados desde a última guerra; havíamos resgatado uma ânfora grega de quase um metro de altura, com grinaldas petrificadas, em cujo fundo jaziam os rescaldos de um vinho imemorial e venenoso, e nos havíamos banhado num remanso fumegante, cujas águas eram tão densas que quase dava para caminhar sobre elas. Mas a revelação mais deslumbrante para nós tinha sido Fulvia Flamínea. Parecia um bispo feliz, e sempre andava com uma ronda de gatos sonolentos que estorvavam seu caminhar, mas ela dizia que não os suportava por amor, e sim para impedir que a comessem os ratos. De noite, enquanto nossos pais viam na televisão os programas para adultos, Fulvia Flamínea nos levava com ela para a sua casa, a menos de cem metros da nossa, e nos ensinava a distinguir as algaravias remotas, as canções, as rajadas de pranto dos ventos de Túnis. Seu marido era um homem jovem demais para ela, trabalhava durante o verão nos hotéis de turistas, do outro lado da ilha, e só voltava para casa para dormir. Oreste vivia com os pais um pouco mais longe, e aparecia sempre de noite com réstias de peixes e canastras de lagostas acabadas de pescar, e pendurava na cozinha para que o marido de Fulvia Flamínea vendesse no dia seguinte para os hotéis. Depois colocava de novo a lanterna de mergulhador na fronte e nos levava para caçar preás, grandes como coelhos, que espreitavam os resíduos das cozinhas. As vezes voltávamos para casa quando nossos pais haviam deitado, e mal podíamos dormir com o estrondo dos ratos disputando as sobras nos pátios. Mas mesmo aquele estorvo era um ingrediente mágico de nosso verão feliz.

Só mesmo meu pai para resolver contratar uma preceptora alemã. Meu pai era um escritor do Caribe, com mais presunção que talento. Deslumbrado pelas cinzas das glórias da Europa, sempre pareceu ansioso demais para fazer-se perdoar por sua origem, tanto nos livros quanto na vida real, e havia se imposto a fantasia de que não restasse em seus filhos nenhum vestígio de seu próprio passado. Minha mãe continuou sendo sempre tão humilde como tinha sido quando professora errante na alta Guajira, e nunca imaginou que seu marido pudesse conceber uma ideia que não fosse proverbial. Portanto, nenhum dos dois deve ter-se perguntado com o coração como seria nossa vida com uma sargenta de Dortmund, empenhada em inculcar-nos à força os hábitos mais rançosos da sociedade europeia, enquanto eles participavam com quarenta escritores da moda de um cruzeiro cultural de cinco semanas pelas ilhas do mar Egeu.

A senhora Forbes chegou no último sábado de julho no barquinho regular de Palermo, e desde que a vimos pela primeira vez entendemos que a festa havia terminado. Chegou com umas botas de miliciano e um vestido de lapelas cruzadas naquele calor meridional, e com o cabelo cortado como de homem debaixo do chapéu de feltro. Cheirava a urina de mico. "Esse é o cheiro de todos os europeus, principalmente no verão", nos disse meu pai. "É o cheiro da civilização." Mas, apesar de sua pompa marcial, a senhora Forbes era uma criatura esquálida, que talvez nos tivesse suscitado certa compaixão se fôssemos maiores ou se ela tivesse tido algum vestígio de ternura. O mundo ficou diferente. As seis horas de mar, que desde o começo do verão haviam sido um contínuo exercício de imaginação, converteram-se numa hora, só e igual, muitas vezes repetida. Quando estávamos com nossos pais dispúnhamos do tempo todo para nadar com Oreste, assombrados pela arte e a audácia com que enfrentava os polvos em seu próprio ambiente turvo de tinta e de sangue, sem outras armas além de suas facas de luta. Depois continuou chegando às onze no barquinho com motor de popa, como fazia sempre, mas a senhora Forbes não lhe permitia ficar conosco nem um minuto além do indispensável para a aula de natação submarina. Proibiu que voltássemos de noite à casa de Fulvia Flamínea, porque considerava uma familiaridade excessiva com os serviçais, e tivemos que dedicar à leitura analítica de Shakespeare o tempo que antes desfrutávamos caçando preás. Acostumados a roubar mangas nos quintais e a matar cachorros a tijoladas nas ruas ardentes de Guacamayal, para nós era impossível conceber tormento mais cruel que aquela vida de príncipes.

Ainda assim, em pouco tempo percebemos que a senhora Forbes não era tão rígida consigo mesma como era conosco, e essa foi a primeira rachadura em sua autoridade. No começo ela ficava na praia debaixo do guarda-sol colorido, vestida de guerra, lendo baladas de Schiller enquanto Oreste nos ensinava a mergulhar, e depois nos dava aulas teóricas de bom comportamento em sociedade, uma hora atrás da outra, até a pausa do almoço.

Um dia pediu a Oreste que a levasse no barquinho a motor até as lojas de turistas dos hotéis e regressou com um maiô inteiriço, negro e reluzente como uma pele de foca, mas nunca entrou n'água. Tomava sol na praia enquanto nadávamos, e secava o suor com a toalha, sem passar pelo chuveiro, de maneira que em três dias parecia uma lagosta em carne viva e o cheiro de sua civilização havia se tornado irrespirável.

Suas noites eram de desabafo. Desde o princípio de seu mandato sentimos que alguém caminhava pela escuridão da casa, bracejando na escuridão, e meu irmão chegou a se inquietar com a ideia de que fossem os afogados errantes dos quais Fulvia Flamínea tanto nos havia falado. Muito rápido descobrimos que era a senhora Forbes, que passava a noite vivendo a vida real de mulher solitária que ela própria teria reprovado durante o dia. Certa madrugada a surpreendemos na cozinha, com a camisola de colegial, preparando suas sobremesas esplêndidas, com o corpo todo coberto de farinha até a cara e tomando uma taça de vinho do Porto com uma desordem mental que teria causado escândalo à outra senhora Forbes. Naquela época já sabíamos que depois que íamos deitar ela não ia para seu quarto, mas descia para nadar escondida, ou ficava até muito tarde na sala, vendo sem som na televisão os filmes proibidos para menores, enquanto comia tortas inteiras e bebia até uma garrafa do vinho especial que meu pai guardava com tanto zelo para as ocasiões memoráveis. Contra seus próprios sermões de austeridade e compostura, engasgava sem sossego, com uma espécie de paixão desenfreada. Depois, a escutávamos falando sozinha em seu quarto, a ouvíamos recitando em seu alemão melodioso fragmentos completos de *Die Jungfrau von Orleans,* a ouvíamos cantar, a ouvíamos soluçando na cama até o amanhecer, e depois aparecia no café da manhã com os olhos inchados de lágrimas, cada vez mais lúgubre e autoritária. Nem meu irmão nem eu tornamos a ser tão infelizes como naquela época, mas eu estava disposto a suportá-la até o fim, pois sabia que de todos os modos sua razão haveria de prevalecer contra a nossa. Meu irmão, por sua vez, enfrentou-a com todo o ímpeto de seu gênio, e o verão feliz tornou-se infernal. O episódio da moreia foi o último. Naquela mesma noite, enquanto ouvíamos da cama o vaivém incessante da senhora Forbes na casa adormecida, meu irmão soltou de repente toda a carga de rancor que estava apodrecendo-lhe a alma.

— Vou matá-la — disse.

Fiquei surpreso, não tanto pela decisão, mas pela casualidade de eu estar pensando a mesma coisa desde o jantar Ainda assim, tentei dissuadi-lo.

Eles vão cortar a tua cabeça — disse.

— Na Sicília não existe guilhotina — respondeu. — Além disso, ninguém vai saber quem foi.

Pensava na ânfora resgatada das águas, onde ainda estava o sedimento do vinho mortal. Meu pai guardava porque queria mandar fazer uma análise mais profunda para averiguar a natureza de seu veneno, pois não podia ser o resultado do simples transcurso do tempo. Usá-lo contra a senhora Forbes era algo tão fácil que ninguém iria pensar que não tivesse sido acidente ou suicídio. Portanto, ao amanhecer, quando a sentimos cair extenuada pela fragorosa vigília, pusemos vinho da ânfora na garrafa do vinho especial de meu pai. Pelo que ele nos dissera, aquela dose era suficiente para matar um cavalo.

Tomávamos o café da manhã na cozinha às nove em ponto, servido pela própria senhora Forbes com os pãezinhos doces que Fulvia Flamínea deixava muito cedo no fogão. Dois dias depois da substituição do vinho, enquanto tomávamos o café da manhã, meu irmão me fez perceber com um olhar de desencanto que a garrafa envenenada estava intacta na cristaleira. Isso foi numa sexta-feira, e a garrafa continuou intacta durante o fim de semana. Mas na noite da terça-feira, a senhora Forbes bebeu a metade enquanto via filmes libertinos na televisão.

Ainda assim, chegou pontual como sempre ao café da manhã da quarta-feira. Tinha sua cara habitual de noite péssima, e os olhos estavam tão ansiosos como sempre atrás dos vidros maciços, e tornaram-se mais ansiosos ainda quando encontrou na cestinha dos pães uma carta com selos da Alemanha. Leu-a enquanto tomava o café, como tantas vezes nos dissera que não se devia fazer, e ao longo da leitura passavam por sua cara as rajadas de claridade que as palavras escritas irradiavam. Depois arrancou os selos do envelope e colocou-os na cesta com os pãezinhos que sobraram, para a coleção do marido de Fulvia Flamínea. Apesar de sua má experiência inicial, naquele dia acompanhou-nos na exploração dos fundos marinhos, e ficamos vagando por um mar de águas delgadas até que começou a esgotar-se o ar de nossos tanques e voltamos para casa para tomar lições de boas maneiras. A senhora Forbes não apenas esteve com um ânimo floral durante todo o dia, como na hora do jantar parecia mais viva que nunca. Meu irmão, por sua vez, não podia suportar o desânimo. Assim que recebemos a ordem de começar afastou o prato de sopa de macarrão com um gesto provocador.

— Estou de saco cheio desta água de minhoca — disse.

Foi como se tivesse atirado na mesa uma granada de guerra. A senhora Forbes ficou pálida, seus lábios endureceram-se até que a fumaça da explosão começou a se dissipar, e as lentes de seus óculos embaçaram-se de lágrimas. Depois tirou os óculos, secou-os com o guardanapo, e antes de se levantar colocou-o em cima da mesa com a amargura de uma capitulação sem glória.

— Façam o que quiserem — disse. — Eu não existo.

Trancou-se em seu quarto às sete. Mas antes da meia-noite, quando supunha que já estávamos dormindo, a vimos passar com a camisola de colegial levando para o dormitório meio bolo de chocolate e a garrafa com mais de quatro dedos do vinho envenenado.

— Coitada da senhora Forbes — falei.

Meu irmão não respirava em paz.

— Coitados de nós, se ela não morrer esta noite — disse.

Naquela madrugada tornou a falar sozinha um tempão, declamou Schiller em altos brados, inspirada por uma loucura frenética, e culminou com um grito final que ocupou todo o espaço da casa. Depois suspirou muitas vezes até o fundo da alma e sucumbiu com um assovio triste e contínuo como o de uma barca à deriva. Quando despertamos, ainda esgotados pela tensão da vigília, o sol dava facadas através das persianas, mas a casa parecia mergulhada num lago. Então percebemos que eram quase dez da manhã e que não tínhamos sido despertados pela rotina matinal da senhora Forbes. Não ouvimos a descarga da privada às oito, nem a torneira da pia, nem o ruído das persianas, nem as ferraduras das botas, e os três golpes mortais na porta com a palma da mão de negreiro. Meu irmão pôs a orelha contra a parede, reteve a respiração para perceber o mínimo sinal de vida no quarto contíguo, e no fim exalou um suspiro de libertação.

— Pronto! — disse. — A única coisa que se ouve é o mar.

Preparamos nosso café da manhã pouco antes das onze, e depois descemos para a praia com dois cilindros para cada um e outros dois de reserva, antes que Fulvia Flamínea chegasse com sua ronda de gatos para fazer a limpeza da casa. Oreste já estava no embarcadouro estripando um dourado de seis libras que acabara de caçar. Dissemos a ele que havíamos esperado a senhora Forbes até as onze, e como ela continuava dormindo, decidimos descer sozinhos para o mar. Contamos ainda que na noite anterior ela havia sofrido uma crise de choro na mesa, que talvez tivesse dormido mal e preferido ficar na cama. Oreste não se interessou muito pela explicação, tal como esperávamos, e acompanhou-nos a perambular pouco mais de uma hora pelos fundos do mar. Depois indicou-nos que subíssemos para almoçar, e foi no barquinho a motor vender o dourado nos hotéis dos turistas. Da escadaria de pedra dissemos adeus com a mão, para que acreditasse que pretendíamos subir para a casa, até que desapareceu na curva das ilhotas. Então pusemos os tanques de oxigênio e continuamos nadando sem a permissão de ninguém.

O dia estava nublado e havia um clamor de trovões escuros no horizonte, mas o mar era liso e diáfano e se bastava de sua própria luz. Nadamos na superfície até a linha do farol de Pantelaria, dobramos depois uns cem metros à direita e submergimos onde calculávamos que havíamos visto os torpedos de guerra no princípio do verão. Lá estavam: eram seis, pintados de amarelo solar e com seus números de série intactos, e deitados no fundo vulcânico numa ordem perfeita que não podia ser casual. Depois continuamos girando ao redor do farol, na busca de uma cidade submersa da qual tanto e com tanto assombro Fulvia Flamínea nos havia falado, mas não conseguimos encontrá-la. Após duas horas, convencidos de que não havia novos mistérios por descobrir, saímos à superfície com o último sorvo de oxigênio.

Havia se precipitado uma tormenta de verão enquanto nadávamos, o mar estava revolto, e uma multidão de pássaros carnívoros revoava com pios ferozes sobre a trilha de peixes moribundos na praia. Mas a luz da tarde parecia acabada de ter sido feita, e a vida era boa sem a senhora Forbes. No entanto, quando acabamos de subir a duras penas a escadaria dos rochedos, vimos muita gente na casa e dois automóveis de polícia na frente da porta, e tivemos consciência pela primeira vez do que tínhamos feito. Meu irmão ficou trêmulo e tentou regressar.

— Eu não entro — disse.

Eu, por minha vez, tive a inspiração confusa de que ao ver o cadáver já estaríamos a salvo de toda suspeita.

— Tranquilo — disse a ele. — Respire fundo e pense numa coisa só: nós não sabemos nada.

Ninguém prestou atenção em nós. Deixamos os tanques, as máscaras e as nadadeiras no portal, e entramos pela galeria lateral, onde estavam dois homens fumando sentados no chão ao lado de uma maca de campanha. Percebemos então que havia uma ambulância na porta posterior e vários militares armados de rifles. Na sala, as mulheres da vizinhança rezavam em dialeto, sentadas nas cadeiras que haviam sido postas contra a parede, e seus homens estavam amontoados no quintal falando de qualquer coisa que não tinha nada a ver com a morte. Apertei com força a mão de meu irmão que estava dura e gelada, e entramos na casa pela porta de trás. Nosso dormitório estava aberto e no mesmo estado em que o havíamos deixado pela manhã. No da senhora Forbes, que era o seguinte, havia um carabineiro controlando a entrada, mas a porta estava aberta. Espiamos para dentro com o coração oprimido, e mal tivemos tempo quando Fulvia Flamínea saiu da cozinha feito uma ventania e fechou a porta com um grito de espanto:

— Pelo amor de Deus, *figlioli,* não olhem!

Era tarde. Nunca, no resto de nossas vidas, haveríamos de esquecer o que vimos naquele instante fugaz. Dois homens à paisana estavam medindo a distância da cama à parede com uma fita métrica, enquanto outro tirava fotografias com uma câmera de manta negra como a dos fotógrafos dos parques. A senhora Forbes não estava sobre a cama revolta. Estava estendida de lado no chão, nua num charco de sangue seco que havia tingido por completo o soalho do quarto, e tinha o corpo crivado a punhaladas. Eram 27 feridas de morte, e pela quantidade e pela sevícia notava-se que tinham sido assestadas com a fúria de um amor sem sossego, e que a senhora Forbes as havia recebido com a mesma paixão, sem nem mesmo gritar, sem chorar, recitando Schiller com sua bela voz de soldado, consciente de que era o preço inexorável de seu verão feliz.

1976.

A LUZ É COMO A ÁGUA

No Natal os meninos tornaram a pedir um barco a remos.

— De acordo — disse o pai —, vamos comprá-lo quando voltarmos a Cartagena.

Totó, de nove anos, e Joel, de sete, estavam mais decididos do que seus pais achavam.

— Não — disseram em coro. — Precisamos dele agora e aqui.

— Para começar — disse a mãe —, aqui não há outras águas navegáveis além da que sai do chuveiro.

Tanto ela como o marido tinham razão. Na casa de Cartagena de Indias havia um pátio com um atracadouro sobre a baía e um refúgio para dois iates grandes. Em Madri, porém, viviam apertados no quinto andar do número 47 do Paseo de la Castellana. Mas no final nem ele nem ela puderam dizer não, porque haviam prometido aos dois um barco a remos com sextante e bússola se ganhassem os louros do terceiro ano primário, e tinham ganhado. Assim sendo, o pai comprou tudo sem dizer nada à esposa, que era a mais renitente em pagar dívidas de jogo. Era um belo barco de alumínio com um fio dourado na linha de flutuação.

— O barco está na garagem — revelou o pai na hora do almoço. — O problema é que não tem jeito de trazê-lo pelo elevador ou pela escada, e na garagem não tem mais lugar.

No entanto, na tarde do sábado seguinte, os meninos convidaram seus colegas para carregar o barco pelas escadas, e conseguiram levá-lo até o quarto de empregada.

— Parabéns — disse o pai. — E agora?

— Agora, nada — disseram os meninos. — A única coisa que a gente queria era ter o barco no quarto, e pronto.

Na noite de quarta-feira, como em todas as quartas-feiras, os pais foram ao cinema. Os meninos, donos e senhores da casa, fecharam portas e janelas, e quebraram a lâmpada acesa de um lustre da sala. Um jorro de luz dourada e fresca feito água começou a sair da lâmpada quebrada, e deixaram correr até que o nível chegou a quatro palmos. Então desligaram a corrente, tiraram o barco, e navegaram com prazer entre as ilhas da casa.

Esta aventura fabulosa foi o resultado de uma leviandade minha quando participava de um seminário sobre a poesia dos utensílios domésticos. Totó me perguntou como era que a luz acendia só com a gente apertando um botão, e não tive coragem para pensar no assunto duas vezes.

— A luz é como a água — respondi. — A gente abre a torneira e sai.

E assim continuaram navegando nas noites de quarta-feira, aprendendo a mexer com o sextante e a bússola, até que os pais voltavam do cinema e os encontravam dormindo como anjos em terra firme. Meses depois, ansiosos por ir mais longe, pediram um equipamento de pesca submarina. Com tudo: máscaras, pés de pato, tanques e carabinas de ar comprimido.

— Já é ruim ter no quarto de empregada um barco a remos que não serve para nada — disse o pai. — Mas pior ainda é querer ter além disso equipamento de mergulho.

— E se ganharmos a gardênia de ouro do primeiro semestre? — perguntou Joel.

— Não — disse a mãe, assustada. — Chega.

O pai reprovou sua intransigência.

— É que estes meninos não ganham nem um prego por cumprir seu dever — disse ela —, mas por um capricho são capazes de ganhar até a cadeira do professor.

No fim, os pais não disseram que sim ou que não. Mas Totó e Joel, que tinham sido os últimos nos dois anos anteriores, ganharam em julho as duas gardênias de ouro e o reconhecimento público do diretor. Naquela mesma tarde, sem que tivessem tornado a pedir, encontraram no quarto os equipamentos em seu invólucro original. De maneira que, na quarta-feira seguinte, enquanto os pais viam *O Último Tango em Paris*, encheram o apartamento até a altura de duas braças, mergulharam como tubarões mansos por baixo dos móveis e das camas, e resgataram do fundo da luz as coisas que durante anos tinham-se perdido na escuridão.

Na premiação final os irmãos foram aclamados como exemplo para a escola e ganharam diplomas de excelência. Desta vez não tiveram que pedir nada, porque os pais perguntaram o que queriam. E eles foram tão razoáveis que só quiseram uma festa em casa para os companheiros de classe.

O pai, a sós com a mulher, estava radiante.

— É uma prova de maturidade — disse.

— Deus te ouça — respondeu a mãe.

Na quarta-feira seguinte, enquanto os pais viam *A Batalha de Argel,* as pessoas que passaram pela Castellana viram uma cascata de luz que caía de um velho edifício escondido entre as árvores. Saía pelas varandas, derramava-se em torrentes pela fachada, e formou um leito pela grande avenida numa correnteza dourada que iluminou a cidade até o Guadarrama.

Chamados com urgência, os bombeiros forçaram a porta do quinto andar, e encontraram a casa coberta de luz até o teto. O sofá e as poltronas forradas de pele de leopardo flutuavam na sala a diferentes alturas, entre as garrafas do bar e o piano de cauda com seu xale de Manilha que agitava-se com movimentos de asa a meia água como uma arraia de ouro. Os utensílios domésticos, na plenitude de sua poesia, voavam com suas próprias asas pelo céu da cozinha. Os instrumentos da banda de guerra, que os meninos usavam para dançar, flutuavam a esmo entre os peixes coloridos liberados do aquário da mãe, que eram os únicos que flutuavam vivos e felizes no vasto lago iluminado. No banheiro flutuavam as escovas de dentes de todos, os preservativos do pai, os potes de cremes e a dentadura de reserva da mãe, e o televisor da alcova principal flutuava de lado, ainda ligado no último episódio do filme da meia-noite proibido para menores.

No final do corredor, flutuando entre duas águas, Totó estava sentado na popa do bote, agarrado aos remos e com a máscara no rosto, buscando o farol do porto até o momento em que houve ar nos tanques de oxigênio, e Joel flutuava na proa buscando ainda a estrela polar com o sextante, e flutuavam pela casa inteira seus 37 companheiros de classe, eternizados no instante de fazer xixi no vaso de gerânios, de cantar o hino da escola com a letra mudada por versos de deboche contra o diretor, de beber às escondidas um copo de *brandy* da garrafa do pai. Pois haviam aberto tantas luzes ao mesmo tempo que a casa tinha transbordado, e o quarto ano elementar inteiro da escola de São João Hospitalário tinha se afogado no quinto andar do número 47 do Paseo de la Castellana. Em Madri de Espanha, uma cidade remota de verões ardentes e ventos gelados, sem mar nem rio, e cujos aborígines de terra firme nunca foram mestres na ciência de navegar na luz.

Dezembro de 1978.

O RASTRO DO TEU SANGUE NA NEVE

Ao anoitecer, quando chegaram à fronteira, Nena Daconte notou que o dedo com a aliança de casamento continuava sangrando. O guarda-civil com a manta de lã sobre o chapéu de três pontas e verniz-charão examinou os passaportes à luz de uma lanterna de carbureto, fazendo um grande esforço para não ser derrubado pela pressão do vento que soprava dos Pireneus. Embora fossem dois passaportes diplomáticos em regra, o guarda levantou a lanterna para comprovar que os retratos se pareciam às caras. Nena Daconte era quase uma menina, com uns olhos de pássaro feliz e uma pele de melaço que ainda irradiava o sol do Caribe no lúgubre anoitecer de janeiro, e estava agasalhada até o pescoço com uma estola de visom que não poderia ser comprada com o salário de um ano da guarnição inteira da fronteira. Billy Sánchez de Ávila, seu marido, que dirigia o automóvel, era um ano mais jovem que ela e quase tão belo, e usava um paletó escocês e um boné de jogador de beisebol. Ao contrário de sua esposa, era alto e atlético e tinha as mandíbulas de ferro dos valentões tímidos. Mas o que revelava melhor a condição de ambos era o automóvel platinado cujo interior exalava um hálito de animal vivo, como não se havia visto outro por aquela fronteira de pobres. Os assentos traseiros iam atopetados de maletas demasiado novas e muitas caixas de presentes que ainda não tinham sido abertas. Lá estavam, além disso, o sax-tenor que tinha sido a paixão dominante de Nena Daconte antes que sucumbisse ao amor contrariado de seu doce bandoleiro de balneário.

Quando o guarda devolveu seus passaportes carimbados, Billy Sánchez perguntou-lhe onde poderiam encontrar uma farmácia para fazer um curativo no dedo da sua mulher, e o guarda gritou-lhe contra o vento que perguntassem em Hendaya, do lado francês. Mas os guardas de Hendaya estavam sentados à mesa em mangas de camisa, jogando baralho enquanto comiam pão molhado em canecas de vinho dentro de uma guarita de vidro cálida e bem iluminada, e foi só olhar o tamanho e o tipo do automóvel para indicar-lhes com gestos que entrassem na França. Billy Sánchez buzinou várias vezes, mas os guardas não entenderam que os chamavam, e um deles abriu o vidro e gritou com mais raiva que o vento:

— *Merde! Allez-vous-en!*

Então Nena Daconte saiu do automóvel embrulhada no agasalho até as orelhas e perguntou ao guarda num francês perfeito onde havia uma farmácia. O guarda respondeu por costume com a boca cheia de pão que aquilo não era assunto dele, e menos com semelhante borrasca, e fechou a janela. Mas depois reparou com atenção na menina que chupava o dedo ferido embrulhada no resplendor dos visons naturais, e deve tê-la confundido com uma aparição mágica naquela noite de assombrações, porque no mesmo instante mudou de humor. Explicou que a cidade mais próxima era Biarritz, mas que em pleno inverno e com aquele vento de lobos talvez não houvesse uma farmácia aberta antes de Bayonne, um pouco mais adiante.

— É alguma coisa grave? — perguntou.

— Nada — sorriu Nena Daconte, mostrando o dedo com a aliança de diamantes em cuja ponta era levemente perceptível a ferida da rosa. — É só um espinho.

Antes de Bayonne voltou a nevar. Não eram mais que sete da noite, mas encontraram as ruas desertas e as casas fechadas pela fúria da borrasca, e após muitas voltas sem encontrar uma farmácia decidiram continuar em frente. Billy Sánchez alegrou-se com a decisão. Tinha uma paixão insaciável pelos automóveis raros e um papai com demasiados sentimentos de culpa e recursos de sobra para agradá-lo, e nunca havia dirigido nada igual àquele Bentley conversível de presente de casamento. Era tanta a sua embriaguez ao volante que quanto mais andava menos cansado se sentia. Estava disposto a chegar naquela noite a Bordeaux, onde tinham reservado a suíte nupcial do hotel Splendid, e não haveria ventos contrários nem neve suficiente no céu para impedi-lo. Nena Daconte, por sua vez, estava esgotada, sobretudo por causa do último trecho da estrada de Madri, que era uma pirambeira de cabras açoitada pelo granizo. Assim, depois de Bayonne enrolou um lenço no dedo, apertando bem para deter o sangue que continuava fluindo, e dormiu. Billy Sánchez não notou a não ser por volta da meia-noite, depois que acabou de nevar e o vento parou de repente entre os pinheiros e o céu das charnecas encheu-se de estrelas glaciais. Havia passado diante das luzes adormecidas de Bordeaux, mas só parou para encher o tanque num posto da estrada, pois ainda lhe restava ânimo para chegar até Paris sem parar e retomar fôlego. Estava tão feliz com seu brinquedo grande de 25.000 libras esterlinas que nem mesmo se perguntou se também estaria a criatura radiosa que dormia ao seu lado, com a atadura do dedo empapada de sangue, e cujo sonho de adolescente, pela primeira vez, estava atravessado por rajadas de incerteza.

Haviam se casado três dias antes, a dez mil quilômetros dali, em Cartagena de Indias, com o assombro dos pais dele e a desilusão dos dela, e a bênção pessoal do arcebispo primaz. Ninguém, a não ser eles mesmos, entendia o fundamento real nem conheceu a origem daquele amor imprevisível. Havia começado três meses antes do casamento, num domingo de mar em que a quadrilha de Billy Sánchez tomou de assalto os vestiários de mulheres no balneário de Marbella. Nena Daconte havia acabado de fazer dezoito anos, acabava de regressar do internato de la Châtellenie, em Saint-Blaise, Suíça, falando quatro idiomas sem sotaque e com um domínio magistral do sax-tenor, e aquele era seu primeiro domingo de mar desde o regresso. Havia se despido por completo para vestir o maiô quando começou a debandada de pânico e os gritos de abordagem nas cabines vizinhas, mas não entendeu o que estava acontecendo até que a tranca de sua porta saltou aos pedaços e viu parado na sua frente o bandoleiro mais belo que alguém podia imaginar. A única coisa que vestia era uma cueca exígua de falsa pele de leopardo, e tinha o corpo agradável e elástico e a cor dourada das pessoas do mar. No pulso direito, onde tinha uma pulseira metálica de gladiador romano, trazia enrolada uma corrente de ferro que lhe servia de arma mortal, e tinha pendurada no pescoço uma medalha sem santo que palpitava em silêncio com o susto do coração. Haviam estado juntos na escola primária e quebrado muitas jarras no jogo de cabra-cega das festas de aniversário, pois ambos pertenciam à estirpe provinciana que manejava ao seu arbítrio o destino da cidade desde os tempos da colônia, mas haviam deixado de se ver tantos anos que não se reconheceram à primeira vista. Nena Daconte permaneceu de pé, imóvel, sem fazer nada para ocultar sua nudez intensa. Billy Sánchez cumpriu então seu ritual pueril: baixou a cueca de leopardo e mostrou-lhe seu respeitável animal erguido. Ela olhou-o de frente e sem assombro.

— Vi maiores e mais firmes — disse, dominando o terror. — Portanto, pense bem no que você vai fazer, porque comigo vai ter de se comportar melhor que um negro.

Na verdade, Nena Daconte não apenas era virgem, como nunca até aquele momento havia visto um homem nu, mas o desafio acabou sendo eficaz. A única coisa que ocorreu a Billy Sánchez foi disparar um murro de raiva contra a parede com a corrente enrolada na mão, e despedaçou os ossos. Ela levou-o em seu automóvel para o hospital, ajudou-o a superar a convalescença, e no final aprenderam juntos a fazer o amor de boas maneiras. Passaram as tardes difíceis de junho na varanda interior da casa onde tinham morrido seis gerações de próceres da família de Nena Daconte, ela tocando canções da moda no sax, e ele com a mão engessada contemplando-a no mormaço com um estupor sem alívio. A casa tinha numerosas janelas de corpo inteiro que davam para o tanque de podridão da baía, e era uma das maiores e mais antigas do bairro da Manga, e sem dúvida a mais feia. Mas a varanda de lajotas axadrezadas onde Nena Daconte tocava sax era um remanso no calor das quatro, e dava para um pátio de sombras grandes com pés de manga e de banana ouro, debaixo dos quais havia uma tumba com uma lousa sem nome, anterior à casa e à memória da família. Mesmo os menos entendidos em música pensavam que o som do saxofone era anacrônico numa casa de tanta estirpe. "Parece um navio", dissera a avó de Nena Daconte quando ouviu pela primeira vez. Sua mãe havia tentado em vão de que o tocasse de outro modo, e não como ela fazia por comodidade, com a saia puxada até as coxas e os joelhos separados, e com uma sensualidade que não lhe parecia essencial para a música. "Não me importa que instrumento você toca", dizia, "desde que toque com as pernas fechadas." Mas foram esses ares de adeuses de barcos e essa obstinação de amor que permitiram a Nena Daconte romper a casca amarga de Billy Sánchez. Debaixo da triste reputação de bruto que ele tinha, muito bem sustentada pela confluência de dois sobrenomes ilustres, ela descobriu um órfão assustado e manso. Chegaram a se conhecer tanto enquanto soldavam-se os ossos de sua mão que ele mesmo se assombrou da fluidez com que ocorreu o amor quando ela levou-o à sua cama de donzela numa tarde de chuvas em que ficaram sozinhos na casa. Todos os dias naquela hora, durante quase duas semanas, rolaram nus debaixo do olhar atônito dos retratos de guerreiros civis e avós insaciáveis que os haviam precedido no paraíso daquela cama histórica. Mesmo nas pausas do amor permaneciam nus com as janelas abertas respirando a brisa de escombros de barcos da baía, seu cheiro de merda, e ouvindo no silêncio do saxofone os ruídos cotidianos do pátio, a nota única do sapo debaixo das matas de bananeiras, a gota d'água na tumba de ninguém, os passos naturais da vida que antes não tinham tido tempo de conhecer.

Quando os pais de Nena Daconte regressaram à casa, eles haviam progredido tanto no amor que o mundo já não era suficiente para outra coisa, e faziam a qualquer hora e em qualquer lugar, tratando de inventá-lo outra vez cada vez que faziam. No começo fizeram da melhor maneira que conseguiam nos carros-esporte com os quais o papai de Billy Sánchez tentava apaziguar suas próprias culpas. Depois, quando os carros se tornaram demasiado fáceis, entravam de noite nas cabines desertas de Marbella onde o destino os havia posto cara a cara pela primeira vez, e até se meteram disfarçados, durante o carnaval de novembro, nos quartos de aluguel do antigo bairro de escravos de Getsemaní, ao amparo das mães de santo que até poucos meses antes tinham que padecer com Billy Sánchez e sua quadrilha de correntes. Nena Daconte entregou-se aos amores furtivos com a mesma devoção frenética que antes desperdiçava no saxofone, até o ponto de que seu bandoleiro domesticado terminou por entender o que ela quis dizer quando disse que tinha que se comportar como um negro. Billy Sánchez correspondeu sempre e bem e com o mesmo alvoroço. Já casados, cumpriram o dever de se amar enquanto as aeromoças dormiam no meio do Atlântico, trancados a duras penas e mais mortos de rir que de prazer no banheiro do avião. Só eles sabiam então, 24 horas depois do casamento, que Nena Daconte estava grávida de dois meses.

Quando chegaram a Madri sentiam-se muito longe de ser dois amantes saciados, mas tinham reserva suficiente para comportar-se como recém-casados puros. Os pais de ambos haviam previsto tudo. Antes do desembarque, um funcionário de protocolo subiu à cabine de primeira classe para levar a Nena Daconte o abrigo de visom branco com franjas de um negro luminoso, que era o presente de casamento de seus pais. Para Billy Sánchez levou uma jaqueta de cordeiro que era a novidade daquele inverno, e as chaves sem marca de um carro de surpresa, que esperava por ele no aeroporto.

A missão diplomática de seu país recebeu-o no salão oficial. O embaixador e sua esposa não apenas eram amigos desde sempre da família de ambos, mas ele era também o médico que havia assistido o nascimento de Nena Daconte, e esperou-a com um ramo de rosas tão radiosas e frescas que até as gotas de orvalho pareciam artificiais. Ele cumprimentou os dois com beijos de deboche, incômoda pela sua condição um pouco prematura de recém-casada, e em seguida recebeu as rosas. Ao apanhá-las picou o dedo com um espinho do talo, mas superou o percalço com um recurso encantador.

— Fiz de propósito — disse —, para que reparassem no meu anel.

E era verdade, a missão diplomática em peso admirou o esplendor do anel, que devia custar uma fortuna, não tanto pela classe dos diamantes, mas por sua antiguidade bem conservada. Mas ninguém percebeu que o dedo começava a sangrar. A atenção de todos derivou depois para o carro novo. O embaixador havia tido o bom humor de levá-lo ao aeroporto e mandar embrulhá-lo em papel celofane com um enorme laço dourado. Billy Sánchez não apreciou sua invenção. Estava tão ansioso para conhecer o carro que rasgou o papel com um arrancão e ficou sem ar. Era um Bentley conversível do ano com estofamento de couro legítimo. O céu parecia um manto de cinza, o Guadarrama mandava um vento cortante e gelado, e era incômodo ficar na intempérie, mas Billy Sánchez não tinha ainda noção do frio. Manteve a missão diplomática no estacionamento sem cobertura, sem reparar que estavam congelando por cortesia, até que terminou de reconhecer o carro em seus detalhes recônditos. Depois, o embaixador sentou-se ao seu lado para guiá-lo até a residência oficial, onde estava previsto um almoço. No trajeto foi indicando os lugares mais conhecidos da cidade, mas ele só parecia ter atenção para a magia do carro.

Era a primeira vez que saía da sua terra. Havia passado por todos os colégios públicos e particulares, repetindo sempre o mesmo ano, até que ficou flutuando num limbo de desamor. A primeira visão de uma cidade diferente da sua, os blocos de casas cinzentas com as luzes acesas em pleno dia, as árvores peladas, o mar distante, tudo ia aumentando um sentimento de desamparo que ele se esforçava por manter à margem do coração. No entanto, pouco depois caiu, sem perceber, na primeira armadilha do esquecimento. Havia se precipitado uma tormenta instantânea e silenciosa, a primeira da estação, e quando saíram da casa do embaixador depois do almoço, para começar a viagem para a França, encontraram a cidade coberta por uma neve radiante. Billy Sánchez esqueceu então do automóvel, e na presença de todos, dando gritos de júbilo e atirando punhados de pó de neve na própria cabeça, se espojou na metade da rua, vestindo o sobretudo.

Nena Daconte percebeu pela primeira vez que o dedo estava sangrando quando saíram de Madri numa tarde que havia se tornado diáfana depois da tormenta. Surpreendeu-se, porque havia acompanhado com o saxofone a esposa do embaixador, que gostava de cantar árias de ópera em italiano depois dos almoços oficiais, e quase não percebeu o machucado no dedo. Depois, enquanto ia indicando ao marido os caminhos mais curtos até a fronteira, chupava o dedo de um modo inconsciente cada vez que ele sangrava, e só quando chegaram aos Pireneus pensou em procurar uma farmácia. Depois sucumbiu aos sonos atrasados dos últimos dias, e quando despertou de repente com a impressão de pesadelo de que o carro andava na água, não se lembrou mais durante um longo tempo do lenço amarrado no dedo. Viu no relógio luminoso do painel que eram mais de três da manhã, fez seus cálculos mentais, e só então compreendeu que tinham passado por Bordeaux, e também por Angoulême e Poitiers, e estavam passando pelo dique do Loire inundado pela cheia. O fulgor da lua filtrava-se através da neblina, e as silhuetas dos castelos entre os pinheiros pareciam de contos de fada. Nena Daconte, que conhecia a região de cor, calculou que estavam já a umas três horas de Paris, e Billy Sánchez continuava impávido no volante.

— Você é um selvagem — disse ela. — Está dirigindo há mais de onze horas, sem comer nada.

Estava ainda flutuando pela embriaguez do carro novo. Apesar de que no avião tinha dormido pouco e mal, sentia-se desperto e com forças de sobra para chegar em Paris ao amanhecer.

— O almoço da embaixada está durando até agora — disse ele. E acrescentou sem nenhuma lógica: — E afinal de contas, lá em Cartagena o pessoal está saindo do cinema agora. Devem ser umas dez da noite.

Ainda assim, Nena Daconte temia que ele dormisse dirigindo. Abriu uma caixa dos tantos presentes que tinham ganhado em Madri e tentou meter na boca dele um pedaço de laranja cristalizada. Mas ele evitou.

— Macho não come doce — disse.

Pouco antes de Orleans a bruma desvaneceu, e uma lua muito grande iluminou a terra semeada e nevada, mas o tráfego ficou mais difícil pela confluência dos enormes caminhões de legumes e cisternas de vinho que se dirigiam a Paris. Nena Daconte gostaria de ajudar seu marido no volante, mas nem se atreveu a insinuar isso, porque ele havia advertido na primeira vez em que saíram juntos que não há maior humilhação para um homem que se deixar conduzir pela mulher. Sentia-se lúcida após quase cinco horas de bom sono, e além disso estava contente por não ter parado num hotel do interior da França, que conhecia desde pequena em numerosas viagens com seus pais. "Não há paisagens mais belas no mundo", dizia, "mas você pode morrer de sede sem encontrar ninguém que lhe dê um copo d'água de graça." Tão convencida estava que na última hora havia metido um sabonete e um rolo de papel higiênico na frasqueira, porque nos hotéis da França nunca havia sabonete e o papel nas privadas eram os jornais da semana anterior cortados em quadradinhos e pendurados num gancho. A única coisa que lamentava naquele momento era haver desperdiçado uma noite inteira sem amor. A réplica de seu marido foi imediata.

— Neste instante eu estava pensando que deve ser do caralho trepar na neve — disse. — Aqui mesmo, se você quiser.

Nena Daconte pensou no assunto a sério. Na beira da estrada, a neve debaixo da lua tinha um aspecto macio e cálido, mas à medida que se aproximavam dos subúrbios de Paris o tráfego era mais intenso, e havia núcleos de fábricas iluminadas e numerosos operários de bicicleta. Se não fosse inverno, já estariam em pleno dia.

— É melhor esperar até Paris — disse Nena Daconte. — Bem quentinhos e numa cama com lençóis limpos, que nem gente casada.

— É a primeira vez que você falha — disse ele.

— Claro — replicou ela. — É a primeira vez que somos casados.

Pouco antes do amanhecer lavaram o rosto e urinaram numa pensão do caminho, e tomaram café com *croissants* quentes no balcão onde os caminhoneiros tomavam vinho tinto no café da manhã. Nena Daconte havia percebido no banheiro que tinha manchas de sangue na blusa e na saia, mas não tentou limpá-las. Jogou no lixo o lenço empapado, mudou a aliança de casamento para a mão esquerda e lavou bem o dedo ferido com água e sabão. A picada era quase invisível. No entanto, assim que voltaram ao carro tornou a sangrar, e Nena Daconte deixou o braço pendurado pela janela, convencida de que o ar glacial das plantações tinha virtudes de cauterizador. Foi outro recurso em vão, mas ainda assim ela não se alarmou. "Se alguém quiser nos encontrar será muito fácil", disse com seu encanto natural. "Só vai ter que seguir o rastro do meu sangue na neve." Depois pensou melhor no que tinha dito, e seu rosto floresceu nas primeiras luzes do amanhecer.

— Imagine só — disse. — Um rastro de sangue na neve de Madri a Paris. Você não acha bonito para uma canção?

Não teve tempo de tornar a pensar. Nos subúrbios de Paris, o dedo era um manancial incontrolável, e ela sentiu de verdade que a alma estava indo embora pela ferida. Havia tentado cortar o fluxo com o rolo de papel higiênico que levava na frasqueira, mas demorava mais em vendar o dedo que em jogar pela janela as tiras de papel ensanguentado. A roupa que vestia, o casaco, os assentos do carro, iam se empapando pouco a pouco, mas de maneira incorrigível. Billy Sánchez assustou-se de verdade e insistiu em procurar uma farmácia, mas ela já sabia que aquilo não era questão para boticários.

— Estamos quase na porta de Orleans — disse. — Continue em frente, pela avenida General Leclerc, que é a mais larga e com muitas árvores, e depois vou dizendo o que fazer.

Foi o trajeto mais árduo da viagem inteira. A avenida General Leclerc era um nó infernal de automóveis pequenos e motocicletas, engarrafados nos dois sentidos, e dos caminhões enormes que tentavam chegar aos mercados centrais. Billy Sánchez ficou tão nervoso com o estrondo inútil das buzinas que trocou insultos aos gritos, em língua de bandoleiros de corrente na mão, com vários motoristas e até tentou descer do carro para brigar com um, mas Nena Daconte conseguiu convencê-lo de que os franceses eram as pessoas mais grosseiras do mundo, mas não trocavam porrada nunca. Foi mais uma prova de seu bom-senso, porque naquele momento Nena Daconte estava fazendo esforços para não perder a consciência.

Só para sair da praça León de Belfort precisaram de mais de uma hora. Os cafés e as lojas estavam iluminados como se fosse meia-noite, pois era uma terça-feira típica dos janeiros de Paris, encapotados e sujos, e com uma chuvinha tenaz que não chegava a se concretizar em neve. Mas a avenida Denfert-Rochereau estava mais livre, e uns poucos quarteirões adiante Nena Daconte indicou ao marido que virasse à direita, e estacionaram na frente da entrada de emergência de um hospital enorme e sombrio.

Precisou de ajuda para sair do carro, mas não perdeu a serenidade nem a lucidez. Enquanto chegava o médico de plantão, deitada numa maca, respondeu à enfermeira o questionário de rotina sobre sua identidade e seus antecedentes de saúde. Billy Sánchez levou a bolsa para ela e apertou sua mão esquerda onde então estava o anel de casamento, e sentiu-a lânguida e fria, e seus lábios haviam perdido a cor. Permaneceu ao seu lado, a mão na dela, até que o médico de plantão chegou e fez um exame muito rápido no dedo ferido. Era um homem muito jovem, com a pele da cor do cobre antigo e a cabeça raspada. Nena Daconte não prestou atenção nele, e dirigiu ao marido um sorriso lívido.

— Não se assuste — disse, com seu humor invencível. — A única coisa que pode acontecer é este canibal me cortar a mão para comer.

O médico terminou seu exame, e então os surpreendeu com um castelhano muito correto, embora com um estranho sotaque asiático.

— Não, meninos — disse. — Este canibal prefere morrer de fome do que cortar mão tão bela.

Eles se ofuscaram, mas o médico tranquilizou-os com um gesto amável. Depois mandou que levassem a maca, e Billy Sánchez quis acompanhá-la preso à mão da mulher. O médico o deteve pelo braço.

— O senhor não — disse. — Ela vai para a terapia intensiva.

Nena Daconte tornou a sorrir para o marido, e continuou dando adeus com a mão até que a maca se perdeu no fundo do corredor. O médico ficou para trás, estudando os dados que a enfermeira havia escrito numa prancheta. Billy Sánchez chamou-o.

— Doutor — disse. — Ela está grávida.

— Quanto tempo?

— Dois meses.

O médico não deu a importância que Billy Sánchez esperava. "Fez bem em avisar", disse, e foi atrás da maca. Billy Sánchez ficou parado na sala lúgubre, cheirando a suores de enfermos, e ficou sem saber o que fazer olhando o corredor vazio por onde haviam levado Nena Daconte, e depois se sentou no banco de madeira onde havia outras pessoas esperando. Não soube quanto tempo ficou ali, mas quando decidiu sair do hospital era noite outra vez e continuava a garoar, e ele continuava sem saber nem ao menos o que fazer consigo mesmo, sufocado pelo peso do mundo.

Nena Daconte internou-se às 9:30 da terça-feira 7 de janeiro, conforme pude comprovar anos depois nos arquivos do hospital. Naquela primeira noite, Billy Sánchez dormiu no automóvel estacionado na frente da porta de emergência, e muito cedo, no dia seguinte, comeu seis ovos cozidos e duas xícaras de café com leite na cafeteria mais próxima que encontrou, pois não tinha feito uma refeição completa desde Madri. Depois voltou à sala de emergência para ver Nena Daconte, mas fizeram que ele entendesse que deveria se dirigir à entrada principal. Lá conseguiram, por fim, um asturiano de plantão que o ajudou a se entender com o porteiro, e este comprovou que, por certo, Nena Daconte estava registrada no hospital, mas que só eram permitidas visitas nas terças-feiras, das nove às quatro. Quer dizer, seis dias mais tarde. Tentou ver o médico que falava castelhano, que descreveu como um negro careca, mas ninguém resolveu seu problema a partir de dois detalhes tão simples.

Tranquilizado com a notícia de que Nena Daconte estava no registro, voltou ao lugar onde havia deixado o automóvel, e um guarda de trânsito obrigou-o a estacionar dois quarteirões adiante, numa rua muito estreita e do lado dos números ímpares. Na calçada em frente havia um edifício restaurado com um letreiro: "Hotel Nicole." Tinha uma única estrela, uma sala de recepção muito pequena onde não havia mais que um sofá velho e um piano vertical, mas o proprietário de voz aflautada podia entender-se com os clientes em qualquer idioma desde que tivessem com que pagar. Billy Sánchez instalou-se com onze maletas e nove caixas de presentes no único quarto livre, que era uma água-furtada triangular no nono andar, aonde chegava-se sem fôlego por uma escada em espiral que tinha cheiro de couve-flor fervida. As paredes estavam forradas de cortinados tristes e pela única janela não cabia nada além da claridade turva do pátio interior. Havia uma cama para dois, um armário grande, uma cadeira simples, um bidê portátil e uma bacia com seu prato e sua jarra, de maneira que a única forma de ficar dentro do quarto era deitar na cama. Tudo era, pior que velho, desventurado, mas também muito limpo, e com um rastro sadio de desinfetante recente.

Para Billy Sánchez, a vida inteira não seria suficiente para decifrar os enigmas deste mundo fundado no talento da mesquinharia. Nunca entendeu o mistério da luz da escada que se apagava antes que ele chegasse ao seu andar, nem descobriu a maneira de tornar a acendê-la. Precisou de meia manhã para aprender que no desvão de cada andar havia um quartinho com uma privada, e já havia decidido usá-lo nas trevas quando descobriu por acaso que a luz acendia quando passava a tranca por dentro, para que ninguém a deixasse acesa por descuido. O chuveiro, que estava no extremo do corredor e que ele se empenhava em usar duas vezes por dia como na sua terra, era pago em separado e à vista, e a água quente, controlada pela gerência, acabava em três minutos. Ainda assim, Billy Sánchez teve suficiente clareza de juízo para compreender que aquela ordem tão diferente da sua era, de qualquer forma, melhor que a intempérie de janeiro, e sentia-se além disso tão atordoado e solitário que não podia entender como conseguiu viver algum dia sem o amparo de Nena Daconte.

Assim que subiu ao quarto, na manhã da quarta-feira, atirou-se de boca na cama vestindo a jaqueta, pensando na criatura de prodígio que continuava dessangrando na calçada em frente, e muito rápido sucumbiu num sono tão natural que quando despertou eram cinco horas no relógio, mas não conseguiu deduzir se eram da tarde ou do amanhecer, nem de que dia da semana nem em que cidade de vidros açoitados pelo vento e pela chuva. Esperou acordado na cama, sempre pensando em Nena Daconte, até comprovar que na realidade amanhecia. Então foi tomar café da manhã na mesma cafeteria do dia anterior, e ficou sabendo que era quinta-feira. As luzes do hospital estavam acesas e havia parado de chover, e ele permaneceu encostado no tronco de uma castanheira na frente da entrada principal, por onde entravam e saíam médicos e enfermeiras de uniformes brancos, com a esperança de encontrar o asiático que tinha recebido Nena Daconte. Não o viu, e tampouco naquela tarde depois do almoço, quando teve que desistir da espera porque estava congelando. Às sete tomou outro café com leite e comeu dois ovos cozidos que ele mesmo pegou do balcão depois de 48 horas comendo a mesma coisa no mesmo lugar. Quando voltou ao hotel para se deitar encontrou seu carro sozinho numa calçada e todos os outros na calçada em frente, e tinha uma notificação de multa colocada no para-brisa. O porteiro do Hotel Nicole teve trabalho para explicar-lhe que nos dias ímpares do mês podia-se estacionar na calçada dos números ímpares, e no dia seguinte, na calçada contrária. Tantas artimanhas racionalistas eram incompreensíveis para um Sánchez de Ávila de pura cepa, que apenas dois anos antes havia se enfiado num cinema de bairro com o automóvel oficial do prefeito, e havia causado estragos de morte diante de dois policiais impávidos. Entendeu menos ainda quando o porteiro do hotel aconselhou-o a pagar a multa mas a não mudar o carro de lugar naquela hora, porque teria de mudá-lo outra vez à meia-noite. Naquela madrugada, pela primeira vez, não pensou em Nena Daconte, mas se revirava na cama sem poder dormir, pensando em suas próprias noites de pesadelo nas cantinas de maricas do mercado público de Cartagena do Caribe. Lembrava-se do sabor do peixe frito e do arroz de coco nas pensões do embarcadouro onde atracavam as escunas de Aruba. Lembrou-se de sua casa com as paredes cobertas de trinitárias, onde agora seriam sete da noite de ontem, e viu seu pai com um pijama de seda lendo o jornal no fresco da varanda.

Lembrou-se de sua mãe, de quem nunca se sabia onde estava a nenhuma hora, sua mãe apetitosa e faladeira, com um vestido de domingo e uma rosa na orelha a partir do entardecer, afogando-se de calor por causa do estorvo de suas telas esplêndidas. Uma tarde, quando ele tinha sete anos, havia entrado de repente no quarto dela e a surpreendera nua na cama com um de seus amantes casuais. Aquele percalço, do qual nunca haviam falado, estabeleceu entre eles uma relação de cumplicidade que era mais útil que o amor. No entanto, ele não foi consciente disso, nem de tantas outras coisas terríveis de sua solidão de filho único, até aquela noite em que se encontrou dando voltas na cama de uma triste água-furtada de Paris, nem ninguém a quem contar seu infortúnio, e com uma raiva feroz contra si mesmo porque não podia suportar a vontade de chorar.

Foi uma insônia proveitosa. Na sexta-feira levantou estropiado pela noite ruim, mas decidido a definir sua vida. Decidiu violar a fechadura de sua maleta para mudar de roupa, pois as chaves de todas estavam na bolsa de Nena Daconte, com a maior parte do dinheiro e a caderneta de telefone onde talvez tivesse encontrado o número de algum conhecido de Paris.

Na cafeteria de sempre percebeu que havia aprendido a cumprimentar em francês, e a pedir sanduíches de presunto e café com leite. Também sabia que nunca lhe seria possível pedir manteiga ou ovos do jeito que fosse, porque nunca aprenderia a dizer, mas a manteiga era sempre servida com o pão, e os ovos cozidos estavam à vista no balcão e apanhava-os sem precisar pedir. Além disso, depois de três dias, o pessoal que servia estava familiarizado com ele, e o ajudava a se explicar. Assim, na sexta-feira na hora do almoço, enquanto tentava botar a cabeça no lugar, pediu um filé com batatas fritas e uma garrafa de vinho. Então sentiu-se tão bem que pediu outra garrafa, bebeu-a até a metade, e atravessou a rua com a firme resolução de se meter no hospital à força. Não sabia onde encontrar Nena Daconte, mas em sua mente estava fixa a imagem providencial do médico asiático, e estava certo de encontrá-lo. Não entrou pela porta principal, mas pela de emergência, que lhe havia parecido menos vigiada, mas não conseguiu ir além do corredor onde Nena Daconte lhe dissera adeus com a mão. Um guarda com o avental salpicado de sangue perguntou-lhe algo, e ele não prestou atenção. O vigia seguiu-o, repetindo sempre a mesma pergunta em francês, e finalmente agarrou-o pelo braço com tanta força que o parou em seco. Billy Sánchez tentou se safar com um recurso de brigador, e então o vigia mandou-o à merda em francês, torceu-lhe o braço nas costas com uma chave mestra, e sem deixar de mandá-lo mil vezes à puta mãe que o pariu levou-o quase que suspenso até a porta, xingando de dor, e atirou-o como um saco de batatas no meio da rua.

Naquela tarde, dolorido pela lição, Billy Sánchez começou a ser adulto. Decidiu, como Nena Daconte teria feito, procurar seu embaixador. O porteiro do hotel, que apesar de sua cara de enfezado era muito serviçal, e além disso muito paciente com os idiomas, encontrou o número e o endereço da embaixada na lista telefônica, e anotou-os num cartão. Atendeu uma mulher muito amável, em cuja voz pausada e sem brilho Billy Sánchez imediatamente reconheceu a dicção dos Andes. Começou por anunciar-se com seu nome completo, certo de impressionar a mulher com seus dois sobrenomes, mas a voz não se alterou no telefone. Ouviu-a explicar de cor a lição de que o senhor embaixador não estava em seu escritório no momento e não era esperado até o dia seguinte, mas de qualquer jeito não poderia recebê-lo sem hora marcada e só num caso especial. Billy Sánchez compreendeu então que tampouco por este caminho chegaria a Nena Daconte, e agradeceu a informação com a mesma amabilidade com que a tinha recebido. E pegou um táxi para a embaixada.

Ficava no número 22 da rua do Eliseu, dentro de um dos setores mais agradáveis de Paris, mas a única coisa que impressionou Billy Sánchez, de acordo com o que ele mesmo me contou em Cartagena de Indias muitos anos depois, foi que o sol estava tão claro como no Caribe pela primeira vez desde a sua chegada, e que a torre Eiffel sobressaía por cima da cidade num céu radiante. O funcionário que o recebeu no lugar do embaixador parecia acabado de se restabelecer de uma doença mortal, não só pelo terno de veludo negro, mas também pelo sigilo de seus gestos e a mansidão da sua voz. Entendeu a ansiedade de Billy Sánchez, mas recordou, sem perder a doçura, que estavam num país civilizado cujas normas restritas se baseavam nos critérios mais antigos e sábios, ao contrário das Américas bárbaras, onde bastava subornar o porteiro para entrar nos hospitais. "Não, meu caro jovem", disse. Não havia outro remédio além de submeter-se ao império da razão, e esperar até a terça-feira.

— Afinal, faltam só quatro dias — concluiu. — Até lá, vá ao Louvre. Vale a pena.

Ao sair, Billy Sánchez encontrou-se, sem saber o que fazer, na Place de la Concorde. Viu a torre Eiffel por cima dos telhados e pareceu-lhe tão próxima que tentou chegar até ela caminhando pelo cais. Mas de repente percebeu que estava mais longe do que lhe parecia, e que além disso mudava de lugar conforme a procurava. Começou então a pensar em Nena Daconte sentado num banco na margem do Sena. Viu passar os rebocadores por baixo das pontes, e não lhe pareceram barcos e sim casas errantes com telhados vermelhos e janelas com vasos de flores nos parapeitos, e arames com roupa secando no convés. Contemplou durante um longo tempo um pescador imóvel, com a vara imóvel e a linha imóvel na corrente, e cansou-se de esperar que alguma coisa se movesse, até que começou a escurecer, e decidiu pegar um táxi para voltar ao hotel. Só então percebeu que ignorava o nome e o endereço, e que não tinha a menor ideia de em que lado de Paris estava o hospital.

Atordoado pelo pânico, entrou no primeiro café que encontrou, pediu um conhaque e tentou pôr seus pensamentos em ordem. Enquanto pensava, se viu repetido muitas vezes e de ângulos diferentes nos numerosos espelhos das paredes, e sentiu-se assustado e solitário, e pela primeira vez desde seu nascimento pensou na realidade da morte. Mas com o segundo copo sentiu-se melhor, e teve a ideia providencial de voltar à embaixada. Buscou o cartão no bolso para recordar o nome da rua, e descobriu que no verso estavam impressos o nome e o endereço do hotel. Ficou tão mal impressionado com aquela experiência que durante o fim de semana não tornou a sair do quarto a não ser para comer e para mudar o carro de calçada conforme correspondesse o dia. Durante três dias caiu sem pausa a mesma garoa fina e suja da manhã em que chegaram. Billy Sánchez, que nunca havia lido um livro inteiro, quis um para não se aborrecer esticado na cama, mas os únicos que encontrou nas maletas de sua mulher eram em idiomas diferentes ao castelhano. Assim continuou esperando a terça-feira, contemplando os pavões repetidos no papel das paredes e sem deixar de pensar um só instante em Nena Daconte. Na segunda-feira arrumou um pouco o quarto, pensando no que ela diria se o encontrasse naquele estado, e só então descobriu que o casaco de visom estava manchado de sangue seco. Passou a tarde lavando-o com o sabonete que encontrou na frasqueira, até que conseguiu deixá-lo outra vez como havia sido levado para o avião em Madri.

A terça-feira amanheceu turva e gelada, mas sem a garoa, e Billy Sánchez levantou-se às seis, e esperou na porta do hospital junto com uma multidão de parentes de enfermos carregados de pacotes de presentes e ramos de flores. Entrou com o tropel, levando no braço o casaco de visom, sem perguntar nada e sem nenhuma ideia de onde podia estar Nena Daconte, mas mantido pela certeza de que haveria de encontrar o médico asiático. Passou por um pátio interior muito grande, com flores e pássaros silvestres, em cujos lados estavam os pavilhões dos doentes: as mulheres, à direita, e os homens, à esquerda. Seguindo os visitantes, entrou no pavilhão das mulheres. Viu uma longa fileira de enfermas sentadas nas camas com a camisola de trapo do hospital, iluminadas pelas luzes grandes das janelas, e até pensou que aquilo tudo era mais alegre do que se podia imaginar lá de fora. Chegou até o extremo do corredor, e depois percorreu-o de novo no sentido contrário, até convencer-se de que nenhuma das enfermas era Nena Daconte. Depois percorreu outra vez a galeria exterior, olhando pela janela os pavilhões masculinos, até que pensou estar reconhecendo o médico que procurava.

Era ele, de fato. Estava com outros médicos e várias enfermeiras, examinando um enfermo. Billy Sánchez entrou no pavilhão, afastou uma das enfermeiras do grupo e parou na frente do médico asiático, que estava inclinado sobre o enfermo. Chamou-o. O médico levantou seus olhos desolados, pensou um instante e então o reconheceu.

— Mas onde diabos o senhor se meteu? — disse.

Billy Sánchez ficou perplexo.

— No hotel — disse. — Aqui, na esquina.

Então ficou sabendo. Nena Daconte tinha sangrado até morrer às 7:10 da noite da quinta-feira, 9 de janeiro, depois de 72 horas de esforços inúteis dos especialistas mais qualificados da França. Até o último instante havia estado lúcida e serena, e deu instruções para que procurassem seu marido no hotel Plaza Athenée, onde tinham um quarto reservado, e deu os dados para que entrassem em contato com seus pais. A embaixada havia sido informada na sexta-feira por um telegrama urgente da chancelaria, quando os pais de Nena Daconte já estavam voando para Paris. O embaixador em pessoa encarregou-se dos trâmites do embalsamamento e dos funerais, e permaneceu em contato com a Chefatura de Polícia de Paris para localizar Billy Sánchez. Um chamado urgente com seus dados pessoais foi transmitido desde a noite da sexta-feira até a tarde do domingo, através do rádio e da televisão, e durante essas 48 horas foi o homem mais procurado da França. Seu retrato, encontrado na bolsa de Nena Daconte, estava exposto por todos os lados. Três Bentley conversíveis do mesmo modelo haviam sido localizados, mas nenhum era o dele.

Os pais de Nena Daconte haviam chegado no sábado ao meio-dia, e velaram o cadáver na capela do hospital esperando até a última hora encontrar Billy Sánchez. Também os pais dele haviam sido informados, e estiveram prontos para voar a Paris, mas no final desistiram por uma confusão de telegramas. Os funerais ocorreram no domingo às duas da tarde, a apenas duzentos metros do sórdido quarto de hotel onde Billy Sánchez agonizava de solidão pelo amor de Nena Daconte. O funcionário que o havia recebido na embaixada me disse anos mais tarde que ele mesmo recebeu o telegrama de sua chancelaria uma hora depois de Billy Sánchez ter saído de seu escritório, e que andou procurando-o pelos bares sigilosos do Faubourg St. Honoré. Confessou-me que não tinha prestado muita atenção quando o recebeu, porque nunca teria imaginado que aquele costenho atordoado pela novidade de Paris, e com uma jaqueta de cordeiro tão mal posta, tivesse a seu favor uma origem tão ilustre. No mesmo domingo de noite, enquanto ele suportava a vontade de chorar de raiva, os pais de Nena Daconte desistiram da busca e levaram o corpo embalsamado dentro do ataúde metálico, e quem chegou a vê-lo continuou repetindo durante muitos anos que nunca haviam visto uma mulher mais bela, viva ou morta. Assim, quando Billy Sánchez entrou enfim no hospital, na manhã da terça-feira, já se havia consumado o enterro no triste panteão de La Manga, a muito poucos metros da casa onde eles haviam decifrado as primeiras claves da felicidade. O médico asiático que deixou Billy Sánchez a par da tragédia quis darlhe umas pílulas tranquilizantes na sala do hospital, mas ele as recusou. Foi embora sem se despedir, sem nada a agradecer, pensando que a única coisa que necessitava com urgência era encontrar alguém para arrebentar a correntadas, para se desquitar de sua desgraça. Quando saiu do hospital, nem ao menos percebeu que estava caindo do céu uma neve sem rastros de sangue, cujos flocos ternos e nítidos pareciam pluminhas de pombas, e que nas ruas de Paris havia um ar de festa, porque era a primeira nevada grande em dez anos.

1976.

Este livro foi composto na tipologia ITC
Leawood STD Book, em corpo 9,5/16, e impresso
em papel off-white no Sistema Cameron da
Divisão Gráfica da Distribuidora Record.